THE MYTHICAL DETECTIVE LOKI

3

KINOSHITA SAKURA

魔《ま》探《たん》偵《てい》ロキ
登《とう》場《じょう》人《じん》物《ぶつ》紹《しょう》介《かい》

ロキ▶

燕雀探偵社《えんじゃくたんていしゃ》の主《あるじ》にして少年探偵《しょうねんたんてい》。その正体《しょうたい》は悪戯《いたずら》と欺瞞《ぎまん》を司《つかさど》る北欧《ほくおう》の神《かみ》ロキ神《しん》である。

◀大堂寺繭良《だいどうじまゆら》

ミステリーマニアでロキの助手《じょしゅ》を自称《じしょう》する天真爛漫《てんしんらんまん》な女子高生《じょしこうせい》。

闇野竜介《やみのりゅうすけ》▶

燕雀探偵社《えんじゃくたんていしゃ》でロキの身《み》の回《まわ》りの世《せ》話《わ》を務《つと》める青年《せいねん》。その正体《しょうたい》は世界《せかい》を取《と》り巻《ま》く大蛇《だいじゃ》ミドガルズオルムで、ロキの息子《むすこ》でもある。

◀鳴神《なるがみ》

繭良《まゆら》のクラスメイトで、木刀《ぼくとう》を片《かた》手《て》に正義《せいぎ》の味方《みかた》を名乗《なの》るが、ただの鉄腕《てつわん》アルバイター。正体《しょうたい》は北欧《ほくおう》の神《かみ》トール神《しん》である。

大堂寺操《だいどうじみさお》▶

繭良《まゆら》の父親《ちちおや》で神主《かんぬし》。探偵《たんてい》の真似事《まねごと》をしている繭良《まゆら》が心配《しんぱい》で仕方《しかた》ない。通称《つうしょう》まゆらパパ。

◀えっちゃん

ロキが降霊術《こうれいじゅつ》に失敗《しっぱい》して召喚《しょうかん》してしまった変化《へんげ》の式神《しきがみ》。

◀新山真澄《にいやままずみ》

まゆらパパの友人《ゆうじん》で警部《けいぶ》。ハードボイルドをモットーに生《い》きる中年《ちゅうねん》。

ヤス▶

新山警部《にいやまけいぶ》とコンビで捜査《そうさ》にあたる新米刑事《しんまいけいじ》。本名《ほんみょう》は山田康之《やまだやすゆき》。

◀垣ノ内光太郎《かきのうちこうたろう》

自称《じしょう》「情報通《じょうほうつう》」の性悪高校生《しょうわるこうこうせい》。親《おや》が資産家《しさんか》で、いつも街《まち》で遊《あそ》び回《まわ》っている。ロキとは気《き》が合《あ》うらしい。

あらすじ

やあ　ボクが燕雀探偵社《えんじゃくたんていしゃ》の主《あるじ》
ロキだよ　元気《げんき》かな？
え？　あらすじ？
君《きみ》　ボクに会《あ》うの初《はじ》めてなの？
ふーん…そぉか…仕方《しかた》ないな
ふんふんふーん♪

実《じつ》はね(ナイショだけど！)
ボクは北欧《ほくおう》の神《かみ》ロキ神《しん》なんだよね
ちょっと神界《しんかい》でいろいろあって
最高神《さいこうしん》に「人間《にんげん》の心《こころ》に寄生《きせい》した
魔《ま》を落《お》としてろ」って言《い》われて
今《いま》こーして人間界《にんげんかい》で魔探偵《またんてい》をやってるワケ！
ヤミノくんとこっちで知《し》り合《あ》った
女子高生《じょしこうせい》のまゆらと一緒《いっしょ》にね
そー言《い》えばこのあいだボクと同《おな》じ北欧《ほくおう》の神《かみ》
トール神《しん》であるナルカミくんも
人間界《にんげんかい》に来《き》ちゃったみたい
あいつは一体何《いったいなに》しに来《き》たんだろ…

じゃあ　そろそろ始《はじ》めようか？

THE MYTHICAL DETECTIVE LOKI 3RD

the mythical detecti
LOKI
第《だい》10夜《や》
忘却《ぼうきゃく》の錬金術師《れんきんじゅつし》（前編《ぜんぺん》）

殺《コロ》セ
――ああ……
またこの
夢《ゆめ》か……
世界《セカイ》ノ 終《オ》ワリヲ モタラス者《モノ》ヲ……
殺《コロ》セ

危《あぶ》ないよ！
ロキくんっ
！
絶対《ぜったい》落《お》とすってー
ロキ様《さま》はコーヒークリームがお好《す》きですから
この真《ま》ん中《なか》のやつがね…
一番上にしてもらえば良かったにゃ…
！
キャーッ そこの子《こ》危《あぶ》ないっっ

ブロロロロ
ロロオオッ
グシャ
!?
オ゛オオオ
うおぉボクの
アイスクリ…
だっ
大丈夫《だいじょうぶ》!?
ロキ様《さま》ケガは
ありませんか!?
ム?
どっ

あ…ありがとです…
――…
ねえっロキくんこの子《こ》なんか狙《ねら》われてるみたいじゃなかった!?
このロキくんて探偵《たんてい》さんなの良《よ》かったら相談《そうだん》にのるよ――
ハイチラシ♡
地図《ちず》も書《か》き加《くわ》えた完全版《かんぜんばん》です!
キキッ
探偵《たんてい》さんやってるですか…

レイヤ様《さま》やっと見《み》つけました
カチャ
見野《みの》さん!どーしたですか?
——父上様《ちちうえさま》がお亡《な》くなりになられましたので
お家《うち》へお戻《もど》りになられますようお迎《むか》えに参《まい》りました
……また夢《ゆめ》が当《あ》たってしまったですね…
あたし大島《おおしま》玲也《レイヤ》っていうです!
このお礼《れい》はいつか必《かなら》ずです!
な…
なんてことだ……っ

うわぁ♥
鳴神《なるがみ》くん ケーキ屋《や》さんで バイトしてるんだー
ケーキの店 ネコ
コホン
バイト先《さき》の 余《あま》りだ 遠慮《えんりょ》なく 食《く》ってくれ
キミが接客《せっきゃく》？ どーやって？
もちろん!!
いらっしゃい ますぇ～～
鉄腕《てつわん》アルバイターの 法則第五条《ほうそくだいごじょう》 お客様《きゃくさま》は 神《かみ》より偉《えら》い!!
何《なに》やらすんだ ロキ～～～～
労働《ろうどう》の味《あじ》が するよ ナルカミくん…
まゆらさ～～ん 夕食《ゆうしょく》の仕度《したく》 手伝《てつだ》っていただけ ますかぁ？
ハ～イ
おいっ メガネ!!
オレも 食《く》うぞ。
夕飯
意味もなく にやり
ヒイイイ!!
生肉《なまにく》!?

なんだって!? フレイヤ神《しん》が 来《き》ているって!?
北欧《ほくおう》の 女神《めがみ》フレイヤ… 彼女《かのじょ》なら神界《しんかい》への 帰《かえ》り方《かた》を知《し》って いるかも しれないなっ
で
何処《どこ》に いるんだ フレイヤは
さあね 聞《き》いちゃ いないよ
……
おまえってやつは!
ドカッ

まぁ運命《うんめい》ならば必《かなら》ず向《む》こうからやってくるだろう……
――御免下《ごめんくだ》さいまし
私《わたくし》 大島家《おおしまけ》の執事《しつじ》見野《みの》と申《もう》しますレイヤ様《さま》が先日《せんじつ》のお礼《れい》をと
夕食《ゆうしょく》の御招待《ごしょうたい》に参《まい》りました

メソ
メソ
ロチしゃま……
早く帰って来て下さいね……
あれ？闇野《やみの》サンお留守番《るすばん》？
うんナルカミくんがどーしても行《い》きたいってゆーから
ささっどうぞ
くるっ
うひゃーーーっっボクもお留守番《るすばん》!!車嫌《くるまきら》い〜っっ
ロキくんが行《い》かなくってどーするのよォだだこねないのォ
リスクが大《おお》きすぎる!!断《ことわ》る!!
……
ずがん
……
行《い》くぞ
ザァァァ…

ザアア…
いらっしゃいませです！
随分《ずいぶん》遠《とお》い——のねェ〜〜
覚えてろよナルカミくん〜…
アレがフレイヤ…って…
こんな山奥《やまおく》なんて…ここから学校《がっこう》に通《かよ》ってるの？

ここにいると
悲《かな》しいので今《いま》は
学校《がっこう》の寮《りょう》に
いるです……
……
——何《なに》かボクに
相談《そうだん》したいコトが
あるんでしょ?
こんな時《とき》に呼《よ》ぶなんて
そっか!
あの時《とき》狙《ねら》われてる
みたいだったもんね
何《なに》が起《お》きてるの?
……実《じつ》は
こないだ病気《びょうき》で
死《し》んじゃった父《ちち》サマの
遺言状《ゆいごんじょう》で…
「リサの世話《せわ》を
してくれる者《もの》に
私《わたし》の遺産《いさん》を残《のこ》す」って
あったです…
リサちゃんて
だーれ?
レイヤの
お姉《ねえ》ちゃまです
……
父《ちち》サマの研究《けんきゅう》の
事故《じこ》でずっと前《まえ》に
死《し》んじゃってるです
……
!?
死人《しにん》の
世話《せわ》を
する!?

何《なに》かの暗号《あんごう》かな…？
今《いま》親戚《しんせき》がこのお家《うち》に集《あつ》まってて父《ちち》サマの遺産《いさん》を探《さが》しているです
なんだかいやな予感《よかん》がするです…
むしゃむしゃ
どーしてレイヤはそう思《おも》うの？
みんなが死《し》んじゃう夢《ゆめ》を見《み》たです
レイヤの夢《ゆめ》とっても当《あ》たるです
ユメ？

それに……お姉《ねえ》ちゃまは誰《だれ》にも起《お》こされたくないってカンジです…
お姉《ねえ》ちゃんのコトも夢《ゆめ》でみたの？
ハイ……安《やす》らかに眠《ねむ》っているのみたです……
…………
コンコン
レイヤ様《さま》お食事《しょくじ》の用意《ようい》ができました
どーもですっ今《いま》行《い》くです
おいロキ！
メシー
ぐいっ
フレイヤってあんなだったか？
なんつーかもっとこー強《つよ》かったっつーか…
……どーもあの子《こ》は自分《じぶん》がフレイヤ神《しん》であるコト忘《わす》れちゃってるなぁフツーの子《こ》として接《せっ》したまえ
なんですとー!?
うーむ
帰《かえ》り方《かた》を聞《き》くどころじゃねーじゃん…

ないハズないわよ！
じゃあ何処《どこ》に隠《かく》してあるってゆーのよ!?
……
！……誰《だれ》だよ レイヤ そいつらは
大島杉蔵《おおしますぎぞう》
レイヤの叔父《おじ》
レイヤのお友達《ともだち》です……
こんな時《とき》に？呑気《のんき》ねェ〜
草河《くさか》ゆかり
レイヤの叔母《おば》
レイヤも淋《さび》しかったんだろ？大人《おとな》ばっかりでさ
村上悦士《むらかみえつし》
レイヤの従兄《いとこ》
それより見野《みの》サン
おじさんの遺産《いさん》は何処《どこ》なのよ？
袴田里美《はかまださとみ》
レイヤの従姉《いとこ》

旦那様《だんなさま》の大事《だいじ》なモノはすべて研究室《けんきゅうしつ》かと…
その研究室《けんきゅうしつ》って何処《どこ》なのさ？
さあ…私《わたし》にも判《わか》りかねます…
ただ研究室《けんきゅうしつ》に行《い》かれる時《とき》はいつも一言《ひとこと》…「リサに会《あ》ってくる」とおっしゃって……
ははっ
どーかしちゃってんな兄貴《あにき》の奴《やつ》
お姉《ねえ》ちゃまは嫌《いや》がってるです…かわいそうです…
じゃあさ おじさん確《たし》か以前《いぜん》助手《じょしゅ》を雇《やと》ってたコトあったわよね
その人《ひと》に聞《き》いてみてよ

ソレが5年前《ねんまえ》の
リサ様《さま》の事故《じこ》で助手《じょしゅ》の方《かた》も
手《て》に大《おお》ケガをして
やめてしまいました
しかしその方《かた》もおそらくは
御存知《ごぞんじ》ないでしょう
あくまで旦那様《だんなさま》が個人的《こじんてき》に
利用《りよう》される場所《ばしょ》だったので
フン
まあいいじゃない
一番先《いちばんさき》にその
研究室《けんきゅうしつ》を
探《さが》しだした者《もの》の
勝《か》ちね！
一体《いったい》おじさんは
なんの研究《けんきゅう》を
してたんだい？
オレにも
判《わか》らないな
……
オレも学者《がくしゃ》の
はしくれだが——
兄《にい》サンは昔学界《むかしがっかい》でも
かなり有望視《ゆうぼうし》されて
たんだぞアレでも
リサが死《し》んでから
急《きゅう》に人《ひと》が変《か》わったよーに
偏屈《へんくつ》になってこの家《いえ》に
こもっちまったんだ

リサの死《し》を忘《わす》れ
たいがために研究《けんきゅう》に
没頭《ぼっとう》しているんだ
ろうと――……
以来《いらい》いつのまにか
まわりからは
『忘却《ぼうきゃく》の錬金術師《れんきんじゅつし》』
なんて呼《よ》ばれてたなぁ
……
錬金術《れんきんじゅつ》って
……
石
ぴかーん
金《きん》を
作《つく》っちゃうって
…アレ？
ホムンクルス
とか賢者《けんじゃ》の石《いし》
とか…
ごきゅ
ごきゅ
はぐ
はぐ
そう
金《きん》の生成《せいせい》や
不死《ふし》の薬《くすり》…
人間《にんげん》の欲望《よくぼう》を
叶《かな》えようとする
試《こころ》み… 神業《かみわざ》とも
ゆーね
でも本当《ほんとう》の意味《いみ》の
錬金術《れんきんじゅつ》とは世《よ》の中《なか》の
すべての物質《ぶっしつ》の成《な》り立《た》ちと
本質《ほんしつ》を知識《ちしき》として
とり入《い》れるという科学《かがく》
つまり金《きん》を
生成《せいせい》したりするのは
その中《なか》の実験《じっけん》の一《ひと》つに
すぎないんだ
フニャー
久し振りの
まともな
メシ～～～♥

ザァァァア
うわぁ
雨《あめ》がひどく
なってきた…
さーて
そろそろ
帰《かえ》るか！
まんぷく
ロキさま
……
助《たす》けて
くれる
ですか…？

レイヤちゃん!
大丈夫《だいじょうぶ》だよ!!
ぱ
こー見《み》えても
この探偵《たんてい》さん
結構《けっこう》イケてん
のよォ〜〜〜
それにこの
有能《ゆうのう》な助手《じょしゅ》の
まゆらちゃんも
いるしねっ
うはははミステリィだ〜!!
イヤこの人ただのミステリィマニア…!
むっぐぐぐ…
ハイです!
………
おっちゃーん
車《くるま》よろしく
頼《たの》むよー
オレ明日早くバイトなんだ
…申《もう》し訳《わけ》
ありません
この嵐《あらし》では車《くるま》を
出《だ》すのは危険《きけん》かと……
本日《ほんじつ》はお泊《と》まりください
ぐはあ
そーいえば
薄暗《うすぐら》くなってるけど
もしかして…?
はあ…
電気《でんき》も止《と》まって
しまったので明《あ》かりは
ロウソクにしました

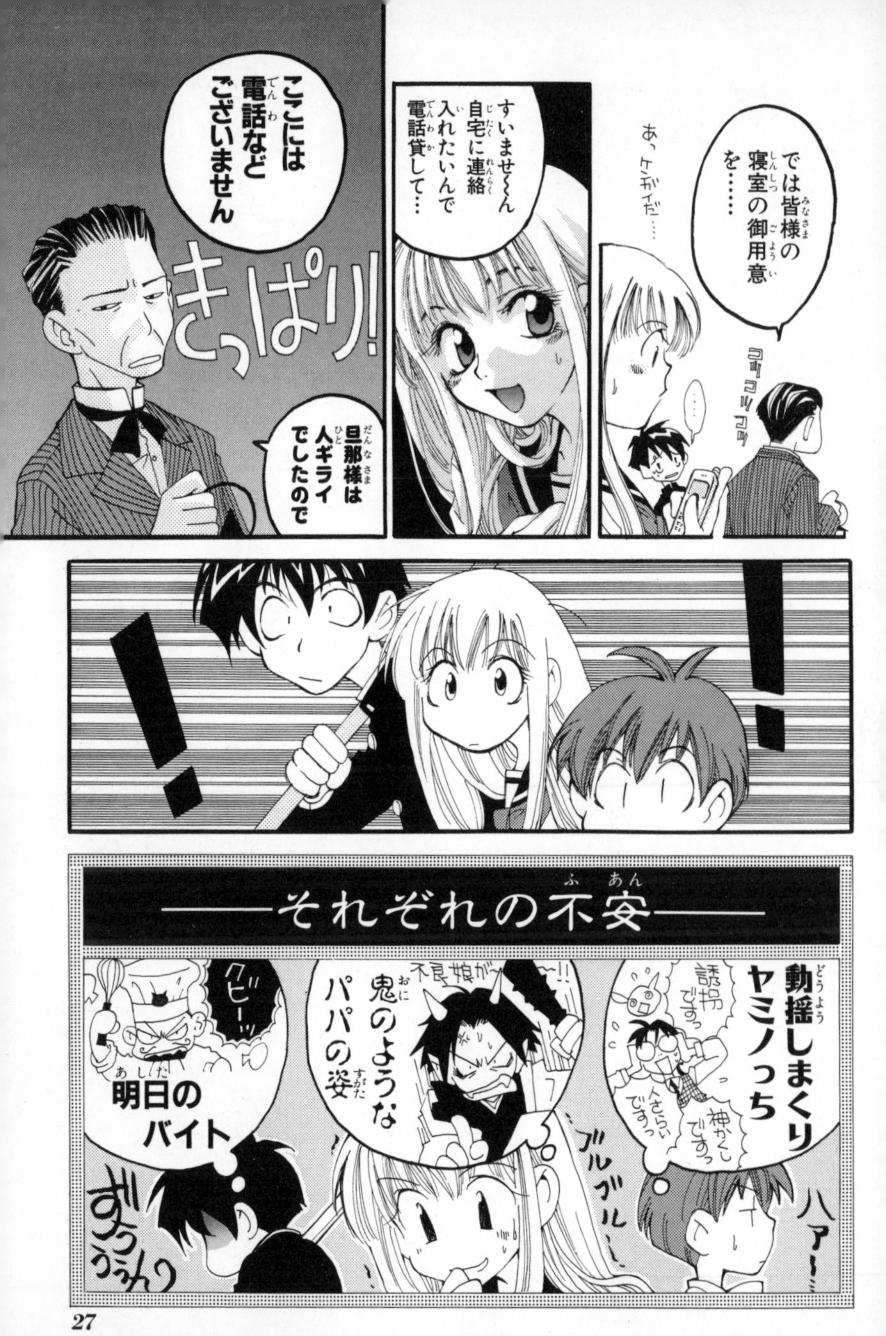
では皆様《みなさま》の寝室《しんしつ》の御用意《ごようい》を……
あ、ケータイだ……
コツコツコツコツ
…
すいませ～ん 自宅《じたく》に連絡《れんらく》入《い》れたいんで電話《でんわ》貸《か》して…
ここには電話《でんわ》などございません
きっぱり!
旦那様《だんなさま》は人《ひと》ギライでしたので
!
!
——それぞれの不安《ふあん》——
動揺《どうよう》しまくりヤミノっち
誘拐ですっ
神かくしですっ
人さらいですっ
ハァ～…
鬼《おに》のようなパパの姿《すがた》
不良娘が～!!
ブルブル～
明日《あした》のバイト
クビーッ
ずっう～ん

げげっ
3人《にん》同《おな》じ
部《へ》屋《や》!?
でーん!!
しかも一《ひと》つのベッド〜!?
うふふー
なんか修学旅行《しゅうがくりょこう》みたいだねー
枕投《まくらな》げでもしよーかあ
順応性高すぎだよまゆら
隔離《かくり》された洋館《ようかん》…
外《そと》は嵐《あらし》!! まさにミステリィ〜ってカンジ!! で
うっとりよ♡
よちよち
メソメソ
メソ
まゆらってさ――
キンチョー感《かん》なくなるってゆーか…
ミステリィ〜とかってゆーのと対極《たいきょく》の存在《そんざい》な気《き》がスル…
そーかな?

ある意味《いみ》
救《すく》われているのかもな——
——
ねェロキくんてときどき…
う——ん なんでもないやっ オヤスミ!!
ばふっ
はっ早《はえ》えっ 特技《とくぎ》か!?
三秒もたってないぞ!
すぴ———
——…なあナルカミくん
キミといいフレイヤといい何故《なぜ》北欧《ほくおう》の神々《かみがみ》がボクのまわりに集《あつ》まってくるんだ?
キミ達《たち》は一体《いったい》何《なに》をしに来《き》た?

ああっっ
こっちも
早《はえ》え!!
ぐぉおおぉ
すぴー
ぁあくわぁああ
なんなんでしょーかこのジョウキョウ…
全然《ぜんぜん》
雨止《あめや》まないねー
ああオレのバイト~
バタバタバタ
つーか
強《つよ》くなってる?
ロキさまっっ
おはようです!
…あ違《ちが》った
さっ…
里美《さとみ》さんが!!

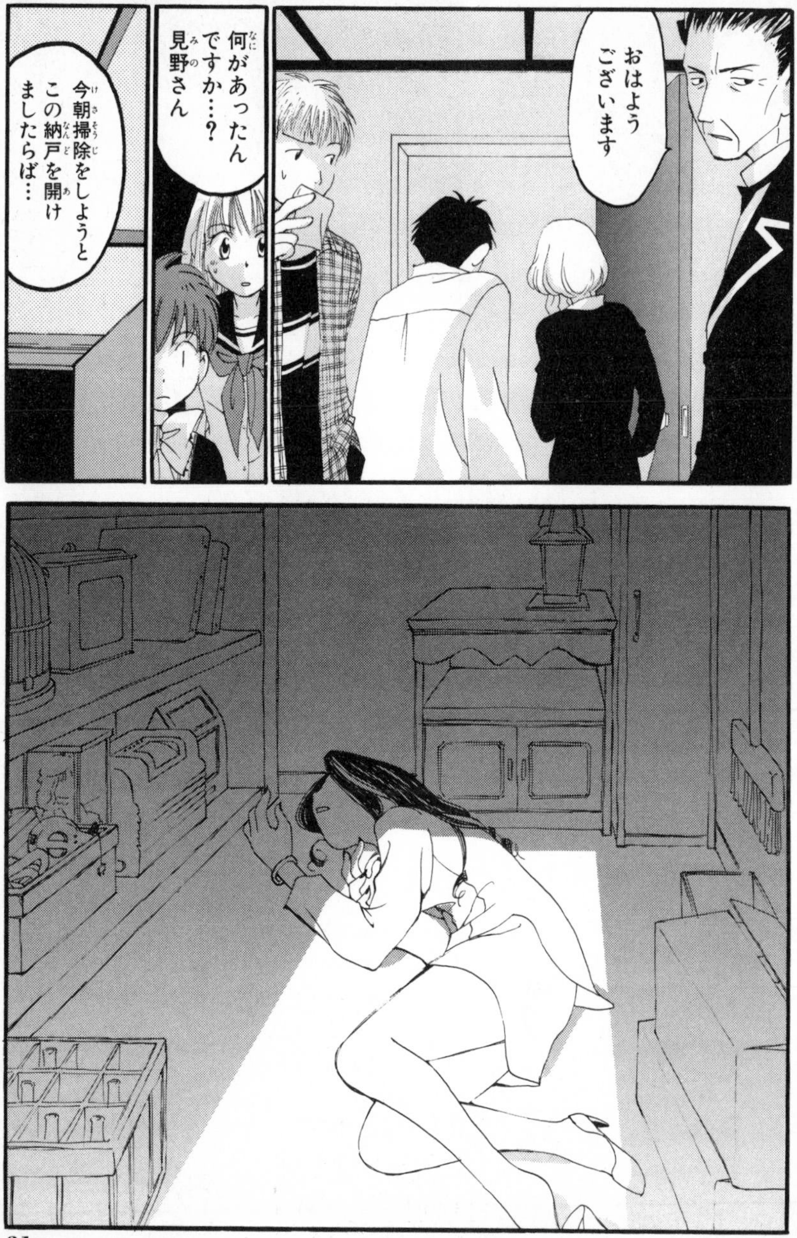
おはようございます
何《なに》があったんですか…？見野《みの》さん
今朝《けさ》掃除《そうじ》をしようとこの納戸《なんど》を開《あ》けましたらば…

…レイヤちゃんの夢《ゆめ》が当《あ》たった!
——!
どうしてこんなところで?
さっそく探《さが》してたんだな隠《かく》し部屋《べや》を
鍵《かぎ》は普段《ふだん》かかっていないのですが私《わたし》が開《あ》けようとした時《とき》にはかかっておりまして——…
不思議《ふしぎ》に思《おも》ったのですが一応《いちおう》鍵《かぎ》を取《と》りに行《い》って扉《とびら》を開《あ》けてみると
密室《みっしつ》!?
どーした悦士《えつし》
人《ひと》が死《し》んでるの見《み》て気分《きぶん》悪《わる》くなったか?
う…うん…

リサお姉《ねえ》ちゃまが嫌《いや》がってるです……
みんなが探《さが》そーとするから……
……
コホン
それにしてもこの物《もの》置《お》きホコリっぽいわね…
ちゃんと掃除《そうじ》してるの？
コホ
コホ
もがいたような跡《あと》があるが死因《しいん》はなんだ…
アレじゃないかな？
カンテラ？

この中《なか》に残《のこ》ってるの水銀《すいぎん》じゃないかな…
里美《さとみ》がその中《なか》の水銀《すいぎん》を自分《じぶん》で飲《の》んだってコト？
まさか!!
…──あっ
密閉《みっぺい》されたこの小《ちい》さい部屋《へや》で熱《ねっ》されてできた水銀蒸気《すいぎんじょうき》も非常《ひじょう》に有毒《ゆうどく》なんだよ
多分里美《たぶんさとみ》さんはなんらかの確信《かくしん》のもとにこの部屋《へや》に研究室《けんきゅうしつ》の入《い》り口《ぐち》があると思《おも》い
鍵《かぎ》をかけてこのカンテラに明《あ》かりを灯《とも》し一晩中探《ひとばんじゅうさが》してたんだ…

!
水銀《すいぎん》は 中世《ちゅうせい》では暗殺《あんさつ》に 用《もち》いられることも しばしばあった くらいだからね
ひぇ～～っ
身内《みうち》に殺人鬼《さつじんき》が いるとはな!
こんなとこ 長居《ながい》は無用《むよう》だ 早《はや》いとこ遺産《いさん》を見《み》つけて 出《で》てってやる!
侵入者《しんにゅうしゃ》かも しれない! 僕《ぼく》 下《した》の階《かい》を 捜《さが》してみる
オレは2階《かい》を 見《み》てくる
暗《くら》いから 気《き》をつけてね
……
水銀《すいぎん》かぁ ……

……うわっ
!?

HCl
キャアア
…レイヤ様《さま》お部屋《へや》へ戻《もど》りましょう…
……

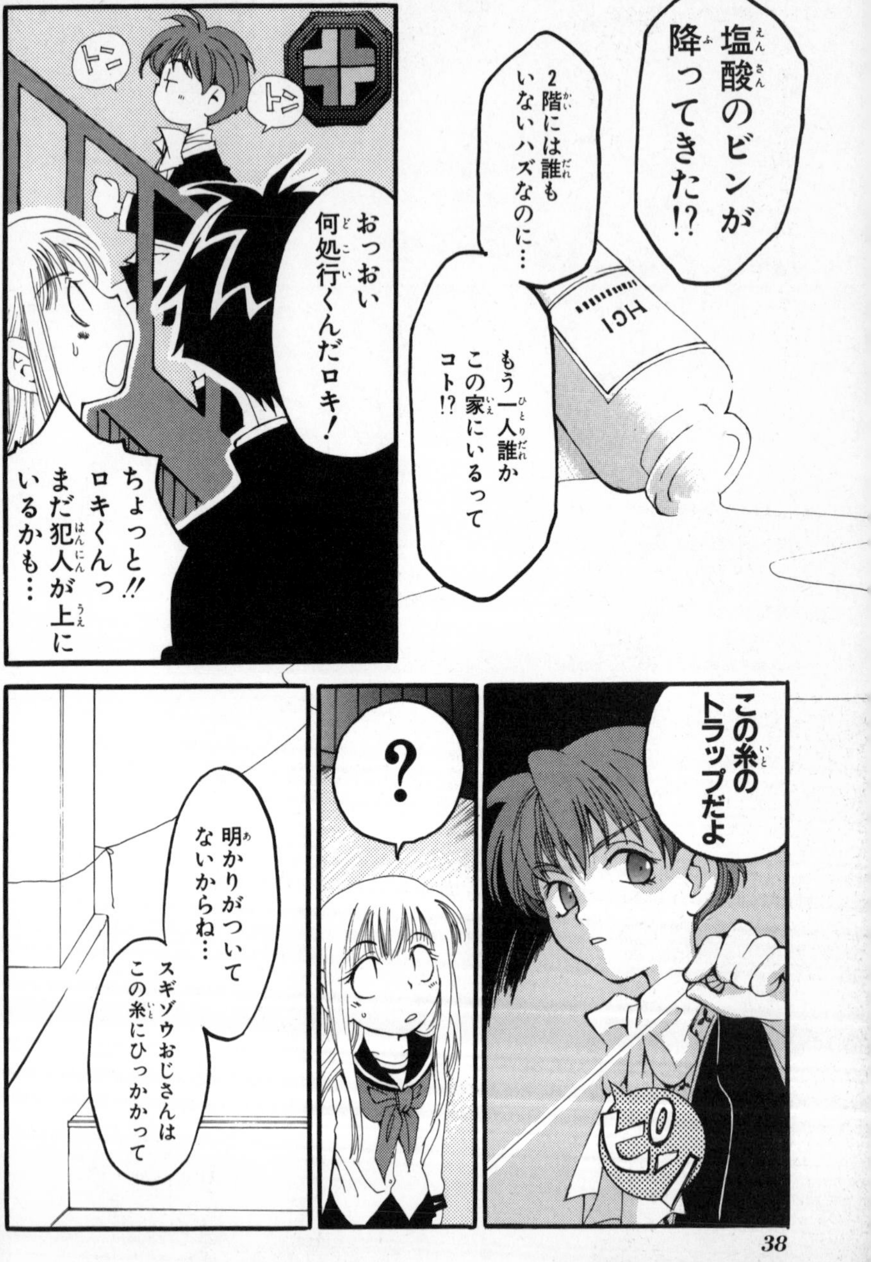
塩酸《えんさん》のビンが降《ふ》ってきた!?
2階《かい》には誰《だれ》もいないハズなのに…
もう一人《ひとり》誰《だれ》かこの家《いえ》にいるってコト!?
HCl
トン
トン
おっおい何処《どこ》行《い》くんだロキ!
ちょっと!! ロキくんっ まだ犯人《はんにん》が上《うえ》にいるかも…
この糸《いと》のトラップだよ
ピン
?
明《あ》かりがついてないからね…
スギゾウおじさんはこの糸《いと》にひっかかって

塩酸《えんさん》のビン
棚《たな》
糸《いと》
棚《たな》の上《うえ》に糸《いと》でつってあった塩酸《えんさん》のビンを
まともに顔《かお》に浴《あ》びて階段《かいだん》を落《お》ちてしまったんだ…
……まるで無差別《むさべつ》じゃない……
私《わたし》…部屋《へや》に戻《もど》るわ…
オレも
雨《あめ》が止《や》んで帰《かえ》れるまで部屋《へや》にこもってた方《ほう》が良《よ》さそうだ
……

雨《あめ》が止《や》むまでは帰《かえ》れないし警察《けいさつ》も呼《よ》べないし…
…水銀《すいぎん》・塩酸《えんさん》ときたらもう一回《いっかい》誰《だれ》か殺《ころ》されると思《おも》うね
そんな！
研究室《けんきゅうしつ》の場所《ばしょ》のヒントはないかな…レイヤの父親《ちちおや》はなんの研究《けんきゅう》をしてたんだ？
思《おも》った以上《いじょう》に危険《きけん》だなこの屋敷《やしき》…

ヒュッ

ザッ
キャーーッ
ロキくんッ
血《ち》がっ
血《ち》があぁ
……
——ナルカミくん今《いま》ナイフに気《き》づいていたな
何故《なぜ》なにもしなかった?

THE MYTHICAL DETECTIVE LOKI

第《だい》11夜《や》
忘却《ぼうきゃく》の錬金術師《れんきんじゅつし》(後編《こうへん》)

偶然《ぐうぜん》ロキが交通事故《こうつうじこ》から
救《すく》った少女《しょうじょ》レイヤは
記憶《きおく》をなくした北欧《ほくおう》の
女神《めがみ》フレイヤが化身《けしん》
した姿《すがた》であった
神《かみ》としての記憶《きおく》を持《も》たない
レイヤはしかし予知夢《よちむ》を
見《み》る能力《のうりょく》があり
「忘却《ぼうきゃく》の錬金術師《れんきんじゅつし》」の
異名《いみょう》をとる自分《じぶん》の父親《ちちおや》の
死《し》を予見《よけん》していた
父親《ちちおや》の死《し》にからんで更《さら》に
死人《しにん》が増《ふ》えるという予知夢《よちむ》を
見《み》ていたレイヤはロキに
〝5年前《ねんまえ》に他界《たかい》しているはずの
少女《しょうじょ》リサの世話《せわ》をする〟という
父親《ちちおや》の残《のこ》した遺言《ゆいごん》の謎《なぞ》を
解《と》くよう依頼《いらい》する
みんなが死《し》んじゃう夢《ゆめ》を見《み》たです
レイヤの夢《ゆめ》とっても当《あ》たるです
だがロキの目前《もくぜん》で
遺産《いさん》を求《もと》めて館《やかた》に
集《あつ》まった親戚達《しんせきたち》は
一人《ひとり》、また一人《ひとり》と
殺《ころ》されていく!
それはレイヤの言《い》うように
眠《ねむ》りを妨《さまた》げられたくない
リサの警告《けいこく》なのか!?
そして殺意《さつい》はロキに向《む》けて
放《はな》たれた――!!

い…っ
いだい～～ 痛《いた》いぞぅまゆらっ なんだソレ!?
動《うご》いちゃダメだよぅ ロキくん ちゃんと消毒《しょうどく》しとかないと破傷風《はしょうふう》になっちゃうかもだよ～～
大堂寺《だいどうじ》 レッツラ ゴウ！
ぐえっ
かっちり
ラジャー！
うふふ
うぎゃーっっ 目にえったあぁ
ロキくんが動くからじゃないのよ!!
水で洗っとけ。
ロキくんまで狙《ねら》われるとはねー 暗《くら》がりで犯人《はんにん》の顔《かお》なんて判別《はんべつ》できなかったし…
ピク
ピク
追《お》いかけるどころじゃなかったしなぁ――…

むくり
この傷《きず》はナルカミくんのせいだぞ！
！
君《きみ》ならあんなナイフくらい止《と》められていただろーがっ
…それとも見殺《みごろ》しにする気《き》でもあったか？
…すまん
朝《あさ》メシ食《く》ってなかったからってコトで。
きゅるるるる
コノ薄情者《はくじょうもの》〜〜!!
キィィィ
トニ〜〜ちからが出ないよう
さー仕上《しあ》げはバンソウコウですわよ♡
ーーー……

よし！名誉挽回《めいよばんかい》っ
正ギの味方！
どーーーん
以後《いご》このオレ様《さま》がおまえらの命《いのち》守《まも》ってやるぜっ!!
あのう…聞《き》いてます？人《ひと》の話《はなし》…
ホイ
カァー
ぺたん
わ〜〜ん かっこ悪いよぉう
ねェ ロキくん…
犯人《はんにん》は誰《だれ》だろう？
うーん…今現在《いまげんざい》この館《やかた》にはボクらと大島家《おおしまけ》の人間《にんげん》4人《にん》なわけだね…
村上悦士《むらかみえつし》
大島杉蔵《おおしますぎぞう》(死亡《しぼう》)
袴田里美《はかまださとみ》(死亡《しぼう》)
兇野サン
レイヤ
執事《しつじ》・見野《みの》
大島玲也《おおしまレイヤ》
草河《くさか》ゆかり

そーいえばロキくん もう一回《いっかい》殺人《さつじん》が 起《お》こるって 言《い》ってたよね どーゆーコト?
錬金術《れんきんじゅつ》の3原質《げんしつ》と 呼《よ》ばれるものがある ソレは 水銀《すいぎん》・塩《しお》・硫黄《いおう》でね
里美《さとみ》さんの場合《ばあい》は 水銀蒸気《すいぎんじょうき》 杉蔵《すぎぞう》おじさんの場合《ばあい》は 塩酸《えんさん》をトラップに使《つか》って 殺《ころ》されてる
HCl
すなわち犯人《はんにん》が錬金術《れんきんじゅつ》に なぞらえて殺人《さつじん》をしてるなら 次《つぎ》は残《のこ》る硫黄《いおう》とくるだろう?
硫黄《いおう》…って あの温泉《おんせん》とかに含有《がんゆう》 されてる臭《くさ》ーいやつっ? 臭《くさ》くて死《し》ぬの?
そら〜〜ぁ やな死《し》に方《かた》だな…
うっ
たまごくさったよーな
におい だよねー
その3原質《げんしつ》は 物質《ぶっしつ》の特性《とくせい》を 表《あらわ》すもので 何《なに》も 物質《ぶっしつ》そのものじゃ ないんだ
いててて
硫黄《いおう》は発火作用《はっかさよう》 腐食《ふしょく》などを 表《あらわ》してるコトも 念頭《ねんとう》に置《お》かなく ちゃね
例《たと》えば 火薬《かやく》とか 火災《かさい》とか ——…
コンコン
コンコン
朝食《ちょうしょく》の 御用意《ごようい》ができ ましたので食堂《しょくどう》へ どうぞ
カチャ

メシ!!
元気!!
ボソ
ボソ
ねェまゆら 後《あと》で見野《みの》サンに 5年前《ねんまえ》の事故《じこ》に ついて聞《き》いてきてよ
私《わたし》が――? なんかあの人《ひと》 怖《こわ》そーだよォ〜
ゴソ…
誰《だれ》! かいる…
ゴソ…
おかしいですね この部屋《へや》は今《いま》 使《つか》ってないハズ…
怪《あや》レー奴《やつ》め 御用《ごよう》っっ
!
ゆかりさん! 何《なに》してるんですか こんな所《ところ》で…
ドア こわれ ました…
決まっ た…♡
……

何《なに》って… 研究室《けんきゅうしつ》探《さが》してるに 決《き》まってる でしょ！
ソレが 目的《もくてき》で 来《き》たんだから
ゆかり様《さま》 御朝食《ごちょうしょく》は？
そんなもの いらないわよっ
……金《かね》の亡者《もうじゃ》だなぁ…
それより早く めしにしよーぜ!!
きみは 食の亡者だね
すとと とと
あら？
この絵《え》の女《おんな》の子《こ》 どことなく レイヤちゃんに 似《に》てる……
それは リサ様《さま》の 肖像画《しょうぞうが》です
ささ 朝食《ちょうしょく》が 冷《さ》めてしまい ますよ

ゆかりさんが研究室《けんきゅうしつ》探《さが》してたって?
部屋《へや》に戻《もど》るとか言《い》って抜《ぬ》け目《め》ないなぁあのオバさん…
なんか…身内《みうち》なのにドライですねぇ
あんまり会《あ》う機会《きかい》もないしねーみんな忙《いそが》しーし
カチャ
レイヤちゃん!
ロキさまにお願《ねが》いあるです

ロキさま…父《ちち》サマの研究室《けんきゅうしつ》探《さが》してくださいです……
レイヤがリサお姉《ねい》ちゃまに会《あ》って謝《あやま》ればきっと許《ゆる》してくれるハズです…っ
ごちそうさまでした！

悦士《えつし》さんもこれから研究室《けんきゅうしつ》探《さが》しするのかな…？
じゃあ私《わたし》は見野《みの》サンのとこ行《い》ってくるねー
うん
オレ達《たち》はどーすんだ？ロキ
しょくやすみか？
！
わあ

どっからだ!? 追《お》うぞ!
え…悦士《えつし》さんっ!! ロキくんの時《とき》と同《おな》じ…っ
あ…
あっちの方《ほう》から…

レイヤちゃんっ
何事《なにごと》です!?
なんなんだこの館《やかた》はっ気味悪《きみわり》ィ!!
……
オレは今《いま》のは気《き》づいてなかったからなっ
止《と》めよーがなかったんだぜっ
しかし困《こま》りましたね緊急事態《きんきゅうじたい》なので今《いま》から警察《けいさつ》に車《くるま》を出《だ》そうと思《おも》ったんですがレイヤ様《さま》がこれでは…
それなら私《わたし》がレイヤちゃんのお世話係《せわがかり》してますよ――
おおっ助《たす》かります!
きいてねぇっつーの!

ではまず レイヤ様《さま》を 寝室《しんしつ》へ…
ええもう メイドとして なんでも使《つか》って ください〜〜
おいおい まゆら…
5年前《ねんまえ》の話《はなし》 聞《き》ーてくる ねー
ずぶといな まゆら…
レイヤさま しっかり!!
ズバリ
犯人《はんにん》は リサの幽霊《ゆうれい》 だなっ ロキ!
レイヤの夢《ゆめ》が 当《あ》たってる もんな!
さてさて
リサっつーのが ホントによみがえって 金《かね》の亡者《もうじゃ》どもを殺《ころ》して まわってるんだぜ!?
んー オレって探偵!?
――ってドコ 行《い》くんだよロキ
人のハナシ きーてる〜

里美《さとみ》が死《し》んでた部屋《へや》？
久《ひさ》びさの降霊術《こうれいじゅつ》～～!!
降霊術《こうれいじゅつ》とはなんぞや
じゃんっ
どこに向って言ってるんだロキ…
死人《しにん》の魂《たましい》を呼《よ》び出《だ》して口寄《くちよ》せするナリよ
いわゆるイタコってやつ？
コレで里美《さとみ》サンをここへ連《つ》れ込《こ》んだ人物《じんぶつ》を聞《き》けば…
ドオーー!!
暴発
ギャーーッ
でた!?!?

シュー……
なんらー
オラに秋ナス
なんの用らりらー
ホレタマネジ
貸してみそ
……コレが里美《さとみ》の
人魂《ひとだま》なのか…?
ロキ
ああまたしても
よく判《わか》らない
式神《しきがみ》があぁっつ
どーちて!?
あっキサマ
卵とじ
——まぁ
せっかく出《だ》したんだから
お使《つか》いでも頼《たの》むかな…
君達《きみたち》移《い》動力《どうりょく》は
あるかい?
フライパンらしい
フライパンで
飛《と》ぶから
早《はや》いのら——
ボクん家《ち》行《い》って
闇野《やみの》くんて人《ひと》に
ここ最近《さいきん》の身元不明《みもとふめい》
死体《したい》について調《しら》べて
もらってきてよ
おおっ
カベを通り
抜けてるぞ!!
そんなん
目玉焼《めだまや》きより
早《はや》いのら——
スゥ
あぁ…
酢豚
ニンニク……
なんだ?
ロキ
身元不明死体《みもとふめいしたい》
ってのは
核心《かくしん》に
迫《せま》ってきてる
んだよ
ナルカミくん…
あんなん
出《だ》しといて
シリアスで
シメるか…

ところで
まゆら
遅《おそ》いな…
お待《ま》たせ――
ロキくん!
たんていメモ
レア情報《じょうほう》
ゲットよ――っ
レイヤちゃんも
良《よ》くなつたし♡
すたたた
ぶふぅっ
なんなんだ
まゆら ソノ
服《ふく》はっっ
うふふー
見《み》ての通《とお》りの
メイドさん
だよーん
まずは
形からっ
てね!
エロス
古《ふる》い洋館《ようかん》に
メイドさん…
雰囲気《ふんいき》盛《も》り
上《あ》がるでしょ
――!?
うっとり…
おめーが
下《さ》げてんだ
――ッ
別の意味で
ボルテージあがる
よな――…
ドキドキ

実《じつ》はね
メイド服《ふく》いっぱい
あったんだよ
本当《ほんとう》にお金持《かねも》ち
だったんだねー
すごい遺産《いさん》があっても
不思議《ふしぎ》じゃないよね
で5年前《ねんまえ》の事故《じこ》に
ついてはどうだった？
うん
レイヤちゃんの
お父《とう》さんの実験《じっけん》ミスが
原因《げんいん》だったらしい
けど…
たまたま居合《いあ》わせた
リサちゃんを助手《じょしゅ》さんが
かばって助《たす》けたけど
打《う》ちどころが悪《わる》くて
亡《な》くなったんだって
もちろん助手《じょしゅ》さんも
大《おお》ケガ！
ほお…
命《いのち》懸《が》けだな
リサちゃんて
その助手《じょしゅ》さんのこと
お兄《にい》さんみたいに
慕《した》ってたらしーよ
……で
その助手《じょしゅ》さんは
どうなったの？
左手《ひだりて》を失《うしな》う程《ほど》の
大《おお》ケガだったのに
親戚《しんせき》の人達《ひとたち》に事故《じこ》の
責任《せきにん》を全部《ぜんぶ》押《お》しつけ
られて追《お》いだされ
たんだって！
ふーん…
成《な》る程《ほど》

でも問題《もんだい》の研究室《けんきゅうしつ》につながるヒントはなかったねェ…
フム…次《つぎ》はそのヒントとやらを探《さが》しに行《い》こーかね
その前にまゆら着替えてこい!!
ぷくーっ
父《ちち》サマのお部屋《へや》に行《い》くですか?
……父《ちち》サマが亡《な》くなっちゃってそのままですケド…
でもみんなもう探《さが》してたですよ

オレとーゆーの苦手ェ〜
グロテスクな本《ほん》が…ミイラだって――
即身仏……
ミイラ
さすが錬金術師《れんきんじゅつし》なんて呼《よ》ばれるだけあるってカンジ……？
――錬金術《れんきんじゅつ》にミイラの本《ほん》……
そしてリサに会《あ》ってくると言《い》って研究室《けんきゅうしつ》に行《い》く？
レイヤ…君《きみ》の見《み》たリサの夢《ゆめ》についてちょっと詳《くわ》しく教《おし》えてくれないかな？
ハイです…まんまるのお月《つき》さまの夜《よる》に1軒《けん》のレンガのお家《うち》があったです…
レイヤはそのお家《うち》に入《はい》るですよそしたら…

リサお姉《ねぃ》ちゃまが白雪姫《しらゆきひめ》さまみたいに眠《ねむ》ってたですすごくキレイだったです
……
あった!
どっ どーしたの!? ロキくんっ

…どーゆーコト？ロキくん…
夢《ゆめ》の中《なか》の満月《まんげつ》は丸《まる》いランプで
その下《した》のレンガの家《うち》は暖炉《だんろ》って訳《わけ》だねつまり——
レイヤの見《み》たリサの夢《ゆめ》は現実《げんじつ》だったってコトだよ

そんな…だって
ここが研究室《けんきゅうしつ》
だったとしても…
あっ

な……っ リサちゃんが 本当《ほんとう》に生《い》きて いた!?
違《ちが》うよ コレは5年前《ねんまえ》の リサの死体《したい》だよ…
レイヤの父親《ちちおや》は 保存死体《ほぞんしたい》の研究《けんきゅう》を していたんだ
そ…そうです… 思《おも》い出《だ》したです… レイヤはここで これを見《み》て…
余《あま》りに耐《た》えかねる現実《げんじつ》 だったから忘却《ぼうきゃく》したい 欲求《よっきゅう》が夢《ゆめ》にすり替《か》わって しまったんだろうね
多分《たぶん》ここには 遺産《いさん》なんてないね この研究《けんきゅう》に持《も》ち金《がね》 費《つい》やしたんじゃ ないかな…
なんだって!?

………そんなバカな…
悦士《えつし》さん…いつの間《ま》にいたの?
あんなに金持《かねも》ちでゴーツクだったんだ
ないはずないだろっ
よく探《さが》せばどこかに……っ
ガラン
ガラン
そうだよねェ君《きみ》としては努力《どりょく》が報《むく》われなくて悔《くや》しいよね…
せっかくそのために人殺《ひとごろ》しまでしたのにね

悦士《えつし》さんが犯人《はんにん》!?
なっなんで僕《ぼく》がっ
君《きみ》はいろいろと不可思議《ふかしぎ》な行動《こうどう》をとっているんだよ
例《たと》えば里見《さとみ》さんが死《し》んでいた時《とき》口《くち》をおさえていたのは自分《じぶん》が仕組《しく》んだ水銀蒸気《すいぎんじょうき》の発生《はっせい》を知《し》っていたからじゃない?
侵入者《しんにゅうしゃ》かもしれない!僕《ぼく》下《した》の階《かい》を捜《さが》してみる
オレは2階《かい》を見《み》てくる
杉蔵《すぎぞう》おじさんの時《とき》だってそーだ自分《じぶん》が1階《かい》を見《み》てまわると言《い》って誰《だれ》かを2階《かい》に仕向《しむ》けたし…
待《ま》てよ!僕《ぼく》だって犯人《はんにん》に狙《ねら》われたんだぞ!?
君《きみ》が犯人《はんにん》だと一番確信《いちばんかくしん》を得《え》たのはまさにその時《とき》だよ
リサの肖像画《しょうぞうが》から凶器《きょうき》が投《な》げられてたなんて嘘《うそ》だってね
肖像画《しょうぞうが》
凶《きょう》器《き》
悦《え》士《し》
あの位置《いち》じゃあの場所《ばしょ》には真《ま》っすぐ刺《さ》さるハズないんだ

自分《じぶん》が狙《ねら》われたという狂言《きょうげん》としてボクらのタイミングを見計《みはか》らって自分《じぶん》で凶器《きょうき》をつきたてた…
それともう一《ひと》つ
身元《みもと》不明《ふめい》死体《したい》の中《なか》についさっき身元《みもと》が判明《はんめい》した人《ひと》がいてね
その人《ひと》名前《なまえ》が「村上悦士《むらかみえつし》」ってゆーんだってさ……とゆーことは……
あんた誰《だれ》だ？
こーゆー言《い》い方《かた》は卑怯《ひきょう》だな…あんた助手《じょしゅ》だろ？5年前《ねんまえ》の事故《じこ》で左手《ひだりて》を失《うしな》った…
だから自分《じぶん》の右側《みぎがわ》にしか凶器《きょうき》を突《つ》き立《だ》てられなかった
レイヤ助手《じょしゅ》さんのお顔《かお》覚《おぼ》えてるです！この人《ひと》は悦士兄《えつしにい》さまですっ

この人《ひと》は多分《たぶん》
整形《せいけい》をしているんだよ
復讐《ふくしゅう》のために前々《まえまえ》から
周到《しゅうとう》な用意《ようい》を…
おっおいロキ
ありゃなんだ!?
人《ひと》の夢《ゆめ》を操《あやつ》り
悪夢《あくむ》を見《み》せて
恐怖《きょうふ》におとし入《い》れる
夢魔《むま》
ナイトメア
だよ
……そうだ
オレが犯人《はんにん》だ
もうゆかりも殺《ころ》したぜ
猟銃《りょうじゅう》で一発《いっぱつ》な…
もっと恐怖《きょうふ》を味《あじ》わわせて
殺《ころ》したかったのに…!

な……
アレは…っ
どうしたの!?
レイヤちゃん!?
キャッ
ねェナルカミくん
「賢者《けんじゃ》の石《いし》」って
知《し》ってる?
知《し》るかよっっ
それより…
錬金術《れんきんじゅつ》最重要《さいじゅうよう》
アイテムでね これを
混《ま》ぜて調合《ちょうごう》すれば
ぽ!
どんな物《もの》でも金《きん》に
なっちゃうんだ

！
必殺《ひっさつ》…っ 豪烈《ごうれつ》雷光斬《らいこうざん》!!
さあ ナイトメア
神《かみ》が本当《ほんとう》の錬金術《れんきんじゅつ》を教《おし》えてあげよう

……あら 金《きん》にはならなかったわ……残念《ざんねん》
やっぱり 不純物は ダメねー
なんだったのオ〜〜〜 今《いま》の風《かぜ》… カマイタチ!?
決まった…♡
ボロ…
リサ…
お前《まえ》が助《たす》かれば オレは左手《ひだりて》を失《うしな》っても まともな人間《にんげん》で いられたかも しれなかったのに

こんな姿《すがた》にされてしまってかわいそうなリサ…
一《ひと》つ聞《き》きたいんだが
あんたどーしてボクを狙《ねら》ったんだ?
うるさい!
ドカ
ニヤリ
ジュボ
!?

ゴオ!
なんてコトを!!
逃《に》げるぞロキ!!
…なんだあいつっ
まだ何《なに》かに取《と》り憑《つ》かれているのかっ!?

すごい…こんなに火《ひ》のまわりが早《はや》いなんて…
お姉《ねい》ちゃま…
もしかしたら犯人《はんにん》が錬金術《れんきんじゅつ》を摸《も》した殺人《さつじん》をしていたのではないかもしれないな
この館《やかた》──もしくはレイヤの父親《ちちおや》の意志《いし》だったのか？

レイヤちゃん この近《ちか》くに 引《ひ》っ越《こ》して きたのー？
ハイですっ あの土地《とち》と 山《やま》を売《う》って 見野《みの》サンと！
やっぱりレイヤちゃんの お家《うち》お金《かね》持《も》ち だったんだ——
そりゃ また どーして？
オレは 失業中《しつぎょうちゅう》 ……
ソレは…ちょっとでも ロキさまの近《ちか》く に……
？
ボッ
また来《き》ますね ロキさま！
さーてオレも メシ食《く》ったし 帰《かえ》ってバイト探《さが》し するかな…

パター
えっと…鳴神《なるがみ》さんてゆーですよね…
レイヤは昨日《きのう》夢《ゆめ》見《み》たです
へえ どんな?
…あなたロキさまを殺《ころ》そうとしてたです…
そんなコト
しないでくださいね

──オレの夢《ゆめ》も現実《げんじつ》？
そうか…オレはロキを殺《ころ》しにここへ…
はあ〜〜ヤレヤレ今回《こんかい》の事件《じけん》は受難《じゅなん》だったにゃ〜

迎《むか》えに行《い》ったら館《やかた》は燃《も》えてるしロキ様《さま》お顔《かお》にケガしてるし…心臓《しんぞう》止《と》まりましたよ…
レタスでサンド…
ほろり…
私《わたし》だって帰《かえ》り道《みち》散々《さんざん》だったわよー
ロキくんが車《くるま》乗《の》るのやだってゆーから何時間《なんじかん》も山道《やまみち》歩《ある》かされて…
そうそうまゆらさんのパパさん大丈夫《だいじょうぶ》でした？すごい剣幕《けんまく》で家《いえ》に来《き》てましたケド…
そーなんだよ〜〜あれからパパ口《くち》もきーてくれないし……なんかいー方法《ほうほう》ないかなロキくん
悪い子いねがぁ
あれこそまさしく鬼気せまるってゆーんでしょうねェ〜
しみじみ
ここはひとつ！
メイドの格好《かっこう》して家族《かぞく》サービスでもしてみれば？
メイドシャ…
ソレはもちろんやってるよ——でもなんか受《う》けないのよね——
ハイパパ
お茶！！
げっホントにやってんの!?

うちのパパ私《わたし》が探偵事務所《たんていじむしょ》に出入《でい》りしてるコト気《き》に入《い》らないじゃない？
そこへもってこないだの外泊事件《がいはくじけん》でもぉ怒《いか》り心頭《しんとう》なのよ——
……
私《わたし》がいかに世間様《せけんさま》にお役《やく》に立《た》っているか判《わか》って貰《もら》わないと！
——でボクの口《くち》からソレをまゆらパパに伝《つた》えて欲《ほ》しーと？

感情《かんじょう》が高《たか》ぶってる人《ひと》には第三者《だいさんしゃ》が言《い》ったほーがいーでしょー?
ピザ一枚《いちまい》で手《て》をうとう
PIZZA!
ホレ早《はや》く注文《ちゅうもん》する!
ぴらー
ハイハイ…
Pi Pi
ピザの宅配《たくはい》が来《く》る前《まえ》にはカタをつけてこよう
ロキくーんよろしくねーん
まゆらパパー御機嫌《ごきげん》……
ひょい
ハァ~
まゆらはいつからあんなモノに興味《きょうみ》を持《も》つよーになったんだ
ちっちゃい頃《ころ》はもっとおっとりした大人《おとな》しい子《こ》だったのに…

そーいえばアレは…
興味津々《きょうみしんしん》
ナニナニ…?
はて……なんだったか……? スッカリ忘《わす》れてしまったなあ〜〜〜
ガクゥ
まいっか別《べつ》に
死ぬワケでもあるまい。
なんだとォ——!? 気《き》になるじゃんか——っっ
ソコで思考を停止するとボケが早まるんだぞーっ
ロキ様おちつぃて……
こーなったら実力行使《じつりょくこうし》で思《おも》い出《だ》してもらう!!
え?
くらっ
!
……おっと眩暈《めまい》が…っ
——疲《つか》れ気味《ぎみ》かな…?

第《だい》12夜《や》
パパは名探偵《めいたんてい》!?

どーしたコトだあ!? なんでまゆらが退化《たいか》しとるんだ——っっ
おこりすぎたか!?
……ん? この情景《じょうけい》見憶《みおぼ》えあるぞ
この頃《ころ》のまゆらは…
ほにょほにょ
確《たし》か…妻《つま》が病気《びょうき》で他界《たかい》したすぐ後《あと》の…
まゆらが淋《さび》しがるから神社《じんじゃ》に連《つ》れて来《き》てたんだっけ……
そーか わしはきっと疲《つか》れ過《す》ぎて白昼夢《はくちゅうむ》を見ているのだっ
あーナットク!!
HAHAHAHAHA
パパあ～
でれぇ
なんだ? まゆら
ちびまゆらもかわいいのォ～～～
親バカ
この探偵《たんてい》さんてぇすぎょいにょお みんなが判《わか》んにゃいコト判《わか》っちゃうんだよ——
にゃんこたんてい

そ…そォかあ
そりゃすごいな!
あれ? この頃《ころ》から 探偵《たんてい》フェチなわけ ないぞ…?
ねェパパぁ―― この探偵《たんてい》しゃんに 会《あ》えるかにゃあ
……まゆらが 良《よ》い子《こ》にしてれば 会《あ》えるんじゃ ないかな?
と
ソレはサンタクロースだ。
それよりまゆらっ もっと違《ちが》う遊《あそ》びに 目《め》を向《む》けよーじゃ ないかっ
何《なに》がしたい?
必死《ひっし》で路線変更《ろせんへんこう》を 企《たくら》むパパであった。
ん―― まゆりゃ 豆《まめ》の木《き》で 頭《あたま》ナデナデ されちゃい……
大堂寺《だいどうじ》さん こんにちわ―― 町内会《ちょうないかい》の宮前《みやまえ》 ですけど――
豆《まめ》の木《き》…?
ああ…… そこで大人《おとな》しく 本読《ほんよ》んでたらな!
そーじゃ…… にゃいの……
ぽつん

ロキ様《さま》コレは一体《いったい》……？
八百屋
野菜食え!!
まゆらパパの記憶《きおく》に入《はい》り込《こ》んだんだよボクらは
ええ!?
きゃ きゃ きゃっ
だってーやっぱ知《し》りたいじゃんなんでまゆらがあんなんなったのかってさぁ〜〜
このお豆《まめ》遊園地《ゆうえんち》にも埋《う》まってりゅねー
空豆
まゆりゃのおうちにも埋《う》めちゃいにゃー
空豆安《そらまめやす》くしとくよー…っておやまゆらちゃんじゃないかい一人《ひとり》？
ヨシコ
うんっパパのお仕事《しごと》ジャマしちゃダメなの！
ベーカリー
まぁ偉《えら》いわねェママいなくなっちゃって淋《さび》しいでしょ…？
大丈夫《だいじょうぶ》！まゆりゃの誕生日《たんじょうび》に約束《やくそく》がありゅんだよ――
……

LOVELY
ぬいぐるみ
こんにちわぁ パンちゃん！
はぉ
にぃ
また会《あ》いに来《き》たよぉ
パンちゃんも まゆりやと 遊園地《ゆうえんち》行《い》こー ね——
ロキ様《さま》ナゼ 変装《へんそう》を ……？
ボクらが 出《で》てったら過去《かこ》が 変《か》わっちゃうじゃん 見《み》てるだけよ♡
おいっ 約束《やくそく》の ブツは？
ああ…この ぬいぐるみの 中《なか》に……
早《はや》くみんなで 遊園地《ゆうえんち》 行《い》きちゃい にゃ——

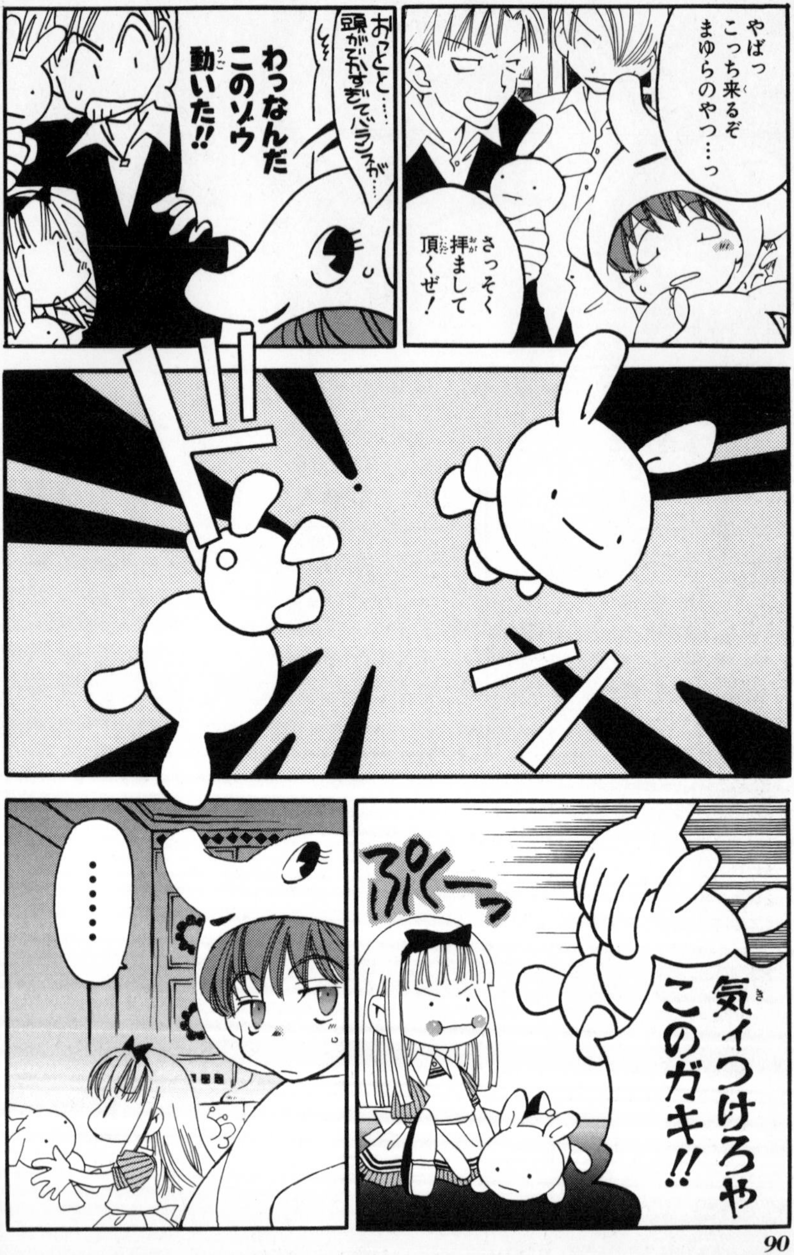
やばっ
こっち来る《く》ぞ
まゆらのやつ……っ
さっそく
拝《おが》まして
頂《いただ》くぜ！
おっとと……
頭がでかすぎてバランスが……
わっなんだ
このゾウ
動《うご》いた!!
ドン
気《き》イつけろや
このガキ!!
ぷくーっ
……

ないっっ
ないぞ拳銃《けんじゅう》
がっっっ!!
もしかしてさっき
ぶつかった時《とき》に
擦《す》り替《か》わったん
じゃ…
あの
小娘《こむすめ》だな!?
どこ行《い》っ
……
!?
はあ〜〜
海はあよぉう
アラナミこえてぇ
オイラのコデシいざなうぅ
踊るしぶきに
身をまかせえこえ
行ってみようか地平線〜
およーー
おいっ変《へん》なの
構《かま》ってないで
あの娘《むすめ》を…
なんだこのガキ…

ソレって
うさたんの
ぬいぐるみ
持《も》った子《こ》でしょ？
知《し》ってんのか!?
どっちへ
行《い》った？
あっち
はぁぁ
海の幸〜
ちらし寿司〜
!
お待《ま》ちして
おりました
ハイ！
ニコー
か弱《よわ》い女《おんな》の子《こ》を
イジメちゃ
いけませんよォ
はっ
ほっ
とっ!

ボクのヘマでまゆらに関《かか》わり合《あ》い持《も》たれちゃ困《こま》るのよキミ達《たち》…
お粗《そ》末《まつ》！
トンファーかっこいーね闇《やみ》野《の》くん
鳴《なる》神《がみ》サンに対《たい》抗《こう》するため通《つう》信《しん》教《きょう》育《いく》受《う》けてますです
ところでまゆらは……？
我《われ》々《われ》も見《み》失《うしな》ったみたいですねェ……
どこ行《い》ったんだーまゆらっっ
ギャー
落《お》ちつけ落《お》ちつけ冷《れい》静《せい》に考《かんが》えてみよう
この頃《ころ》のまゆらには1日《にち》100円《えん》のお小《こ》遣《づか》い…
でもすぐに使《つか》っていたから貯《ちょ》金《きん》などあるハズないし…
──よって交《こう》通《つう》機《き》関《かん》での移《い》動《どう》はないな

したがって この付近《ふきん》一帯《いったい》の ハズなんだが…
大堂寺《だいどうじ》サン！
ヨシコ
これはこれは 八百屋《やおや》のよし子《こ》さん いつもお世話《せわ》…
八百
さっき まゆらちゃんが 一人《ひとり》でうちの店《みせ》 のぞいてたよ
毎日が特売日!!
おすすめ
いつも新鮮
やっぱり！
その後《あと》 何処《どこ》に……？
さあ…でもね—— 誕生日《たんじょうび》の約束《やくそく》 とか言《い》ってて…
なんの コトだろー ねェ…
YAKUSOKU
約束《やくそく》！
あっ まゆらパパだ！
まゆらは誕生日《たんじょうび》に ママにこのぬいぐるみを 買《か》ってもらう約束《やくそく》を していたんだっけ…
——…

フム…この近《ちか》くに
まゆらのお気《き》に入《い》りの
ブランコがある公園《こうえん》が
あったな……
行《い》ってみるか！
まゆらパパじゃないと
まゆらの行動《こうどう》は読《よ》めない
みたいだね とりあえず
つけてみよーか
まゆら〜
あっ
さっきの
チンピラッ
こりてないっ
ロキ
くそォなんで
オレらが
こんな目《め》にっ
こーなったら
しらみつぶしに
捜《さが》してやる!!
まゆらヤバイな…
早《はや》くあのチンピラさん達《たち》
よりパパにまゆらを
見《み》つけて貰《もら》わないと
……
あ！
コレはまゆらの
好《す》きだった
お菓子《かし》！
BINGO
やるなあ
わしってば♡

書籍
マンガ
田中書店
TEL
〝キャアア 人殺《ひとごろ》しイイ〟
〝血《ち》塗《ぬ》られた 殺人鬼《さつじんき》が今《いま》
再《ふたた》び血《ち》を求《もと》めて この地《ち》に巣食《すく》い はじめる…〟
……
まゆらちゃん こっちの絵本《えほん》の方《ほう》が まゆらちゃん向《む》き だよ きっと
ほくおぉ しんわ？
北欧神話
〝いたずらの神様《かみさま》の ロキはしだいに 邪悪《じゃあく》さを増《ま》し ついには世界《せかい》を 滅《ほろ》ぼそーと――…〟
にゃにコレ―― 探偵《たんてい》しゃん 出《で》てこないの つまんな――い
ポイ

ねーねー本屋《ほんや》しゃん 人《ひと》を捜《さが》す時《とき》 探偵《たんてい》しゃんは どーやって見《み》つけるん だろー？
BOOK SHOP
え？
探偵《たんてい》さんが 犯人《はんにん》を捜《さが》して るのかな？
恋人《こいびと》とか家族《かぞく》とか 大切《たいせつ》な人《ひと》がいなく なっちゃったら まずはその人《ひと》と よく行《い》ってた場所《ばしょ》に 行《い》ってみるだろう なぁ…
犯人《はんにん》じゃ ないもん
ぷくーっ
ソレ悪い人ですっ
ゴメン ゴメン
じゃあ 行方不明《ゆくえふめい》の 捜索《そうさく》かな？
?
ユクエ フメ？
?
ソサク？
楽《たの》しい場所《ばしょ》だったら またその人《ひと》も 行《い》ってるかもだし…
……
うん 行《い》って みる！
あっ どこ行《い》くの？ まゆらちゃ…っ
あ… いらっしゃい ませ～

——でねー まゆらちゃん 探偵《たんてい》さんは なんでもできるん だってマイブーム らしーわよー
そーそー まゆらちゃん 最近へーーん
ホントの探偵は ウワキ調査とか 家出ネコ探し とか……
う〜〜ん 絵本《えほん》の読《よ》み過《す》ぎ だなぁ…
…ああそーいえば あの本《ほん》は妻《つま》が最後《さいご》に 買《か》ってやったん だっけ……
妻《つま》が入院《にゅういん》して まゆらがずっと病室《びょうしつ》で 退屈《たいくつ》そうにしてたから こっそり抜《ぬ》け出《だ》して 買《か》いに行《い》ったたって…
にゃんこたんてい
でも退屈《たいくつ》そうに してたけど帰《かえ》り際《ぎわ》には いつも帰《かえ》るの 嫌《いや》がってたな…
……本屋《ほんや》に 行《い》ってみるか…
私こーゆーの 弱いです!
……
書籍 マンガ 田中書
ええ…それで 人《ひと》を捜《さが》してるってゆーから その人《ひと》のよく行《い》く所《とろ》とか 楽《たの》しー場所《ばしょ》とか言《い》ったら 速攻《そっこう》出《て》てっちゃって…
BOOK SHOP

誰《だれ》がよく行《い》った所《とこ》なんだ?
楽《たの》しい場所《ばしょ》? まゆらにとって…?
おもちゃ屋《や》さん
駄《だ》菓《が》子《し》屋《や》
ペットショップ
埒《らち》が明《あ》かねーっっ
イライラ
イライラ
こりゃダメだ……
ここはボクらでまゆらのこれまでの言動《げんどう》から考《かんが》えられる場所《ばしょ》を割《わ》り出《だ》してみよーか

誰《だれ》を捜《さが》してるんでしょーねェ？
まゆらは多分《たぶん》ママが死《し》んだというコトをまだハッキリと受《う》けとめていないんじゃないかな…
大丈夫《だいじょぶ》！まゆりやの誕生日《たんじょうび》に約束《やくそく》がありゅんだよ——
まゆらさんママを捜《さが》してるんですか!?
本屋《ほんや》に言《い》われたとーり楽《たの》しい場所《ばしょ》に行《い》ったとしたら…
まゆらにとって親子《おやこ》3人《にん》で行《い》ってた遊園地《ゆうえんち》だよな…
八百屋《やおや》での会話《かいわ》ではその遊園地《ゆうえんち》に豆《まめ》が埋《う》まっているらしい……
ともかくまゆらの足《あし》でも行《い》けそーな遊園地《ゆうえんち》に行《い》ってみよう！

まさかどランド
本日休園
フウ…見《み》つかんねェなぁ
子供《こども》の行《い》きそーな所《とこ》はあらかた捜《さが》したのに…
んしょっ んしょ
いた!!
こらっ待《ま》ちやがれ!
はぁ…何処《どこ》行《い》ったんだまゆら…
あと行きそうな所は……
あら大堂寺《だいどうじ》サン

さっき まゆらちゃんに 会《あ》いましたよ
ほっ 本当《ほんとう》ですか!?
なんだか 楽《たの》しそーに してたから
なんかいーコト あったの? って 聞《き》いたのよ そしたら——
これから ママに頭《あたま》を なでてもらいに 行《い》くんだって…
!
…まゆら…っ

なんだぁ？ここは…っ
ちくしょー あのガキ こんなトコに潜《もぐ》り込《こ》みやがって…っ
いでっ
こんな子供《こども》の遊《あそ》びしてるワケいかねーぜ
仕方《しかた》ねェ 出口《でぐち》で待《ま》ち伏《ぶ》せだっ
ここだな… まゆらの言《い》ってた豆《まめ》の木《き》ってのは
ジャックと豆《まめ》の木《き》？
ジャックと豆の木
イギリスの民話《みんわ》だよ ジャックが埋《う》めた豆《まめ》が芽《め》を出《だ》して雲《くも》の上《うえ》にあるお城《しろ》まで届《とど》くんだ

ソコには金《きん》の卵《たまご》を産《う》む鶏《にわとり》やら金《きん》の竪琴《たてごと》があったりしてね
んしょ
んしょ
あっ あいつらは!!
ちょこまかしてまた逃《に》げられると困《こま》るからな
非常口
出口《でぐち》のこのクッションはずして落《お》とし穴《あな》作《つく》っとこーぜ
ママ出口《でぐち》で待《ま》ってるよねー

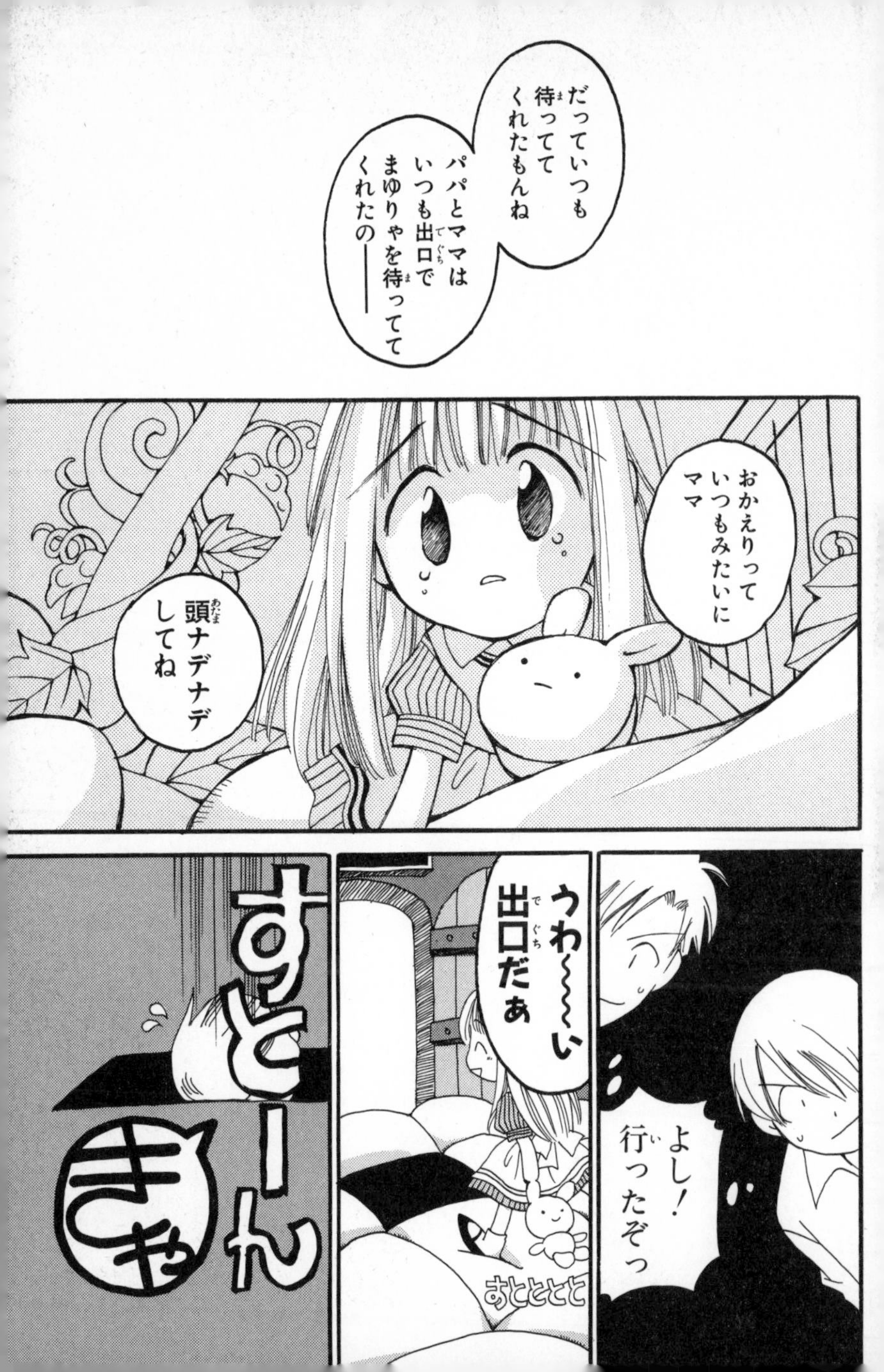
だっていつも待《ま》っててくれたもんね
パパとママはいつも出《で》口《ぐち》でまゆりやを待《ま》っててくれたの———
おかえりっていつもみたいにママ
頭《あたま》ナデナデしてね
よし!行《い》ったぞっ
うわ〜〜い出《で》口《ぐち》だぁ
すとととと
すとーん
きゃ

ひっかかった!
子供ってスキよ♡単純でー
ロキ様《さま》っ どうしましょう!?
危《あぶ》ないねェ…
雲《くも》の上《うえ》のお城《しろ》には人食《ひとく》い鬼《おに》が住《す》んでるんだ
あーーん 足がいたいよぉ
あーーん
さーて どーやって料理《りょうり》しますか…
散々《さんざん》逃《に》げ回《まわ》ってくれたからねェ…

おーい オニーさん達《たち》ィ
ギックゥー！
あっ ゾウのぬいぐるみの……！
こっちが拳銃《けんじゅう》入《はい》ってるうさたんだよー
なにィ!?
ホラ来《き》た！人食《ひとく》い鬼《おに》っ
ジャックはねー 宝物《たからもの》を持《も》って帰《かえ》ろーとして鬼《おに》に追《お》いかけられて
先《さき》に地上《ちじょう》に降《お》りて豆《まめ》の木《き》をオノで切《き》っちゃうんだ
プニャ

それでっ
鬼退治《おにたいじ》――!!

えぐ
出口《でぐち》に行《い》けないよォ
えぐ
えぐ
まゆりやは ダメな子《こ》ですぅ
ママぁ――
ママ…ッ

……パパじゃ
ママのかわりに
ならんかな？

ママがいなくなって淋《さび》しーのはまゆらだけじゃないんだぞ！
おまけにまゆらまでどっか行《い》っちゃったらパパはどーすればいーのだっ
…どーしてパパまゆりゃのいゆとこわきゃったのー？
――それはな
パパは名探偵《めいたんてい》だからだ！
――…

どがしゃん!
!
はっ
だっ 誰《だれ》だ!?
ちぇっ… いーところで…
鳴神《なるがみ》くんっ 今度《こんど》はピザ屋《や》さん!?
いててて…
ネコピザ
バイク免許《めんきょ》取《と》りたて
げっロキ!? なんで貴様《きさま》がここに…っ
うわっ いつの間《ま》に…っ
パパ どーだった? ロキくん……
謝《あやま》るなら今《いま》だ! 今《いま》行《い》けっ

わーーっっ まゆらが 元《もと》に戻《もど》ってる――!!
な…… なんの ハナシ……?
パパ… 心配《しんぱい》かけて ゴメンね…
あーまゆりや うさたん置《お》いて きちゃった――
明日《あした》パンダの ぬいぐるみ買《か》いに 行《い》こーな
うわーい♡
……パパ 心配《しんぱい》かけて ゴメンね……
パパきゃっこ いきやったー
おっきくなったら まゆりやパパの おヨメたんに なりたいな――
はっはっ
嬉《うれ》しーけど まゆらはパパとは 結婚《けっこん》できないん だぞ――

じゃあパパみたいな名探偵《めいたんてい》しゃんと結婚《けっこん》すりゅーっ
そーかそーかうんうん
なかなかいないぞおパパみたいのはー
……
親バカ
仕方《しかた》ない…今回《こんかい》だけだぞ！
フンッ
うわーいやったあ!!
バイクこわしちゃったまたクビかも……
待《ま》てよ…ってコトはまゆら…
こいつが結婚《けっこん》相手《あいて》なのかー!?
結局《けっきょく》こーなったのって原因《げんいん》はパパだったのねー
あ——一件落着《いっけんらくちゃく》!!
昔のコトなどとっくに忘れている人

第《だい》13夜《や》
ラブ☆パレード

わぁい 結婚式《けっこんしき》日和《びより》だねーっ
この日《ひ》のために振《ふ》り袖《そで》借《か》りちゃったあっ
どーかなぁ ロキくんっ

——って ゆーか
ぷる
ぷる
ぷる
なんで ボクまで…
ロキ様《さま》! お似合《にあ》いです〜〜っっ なんでも似合《にあ》いますねェ ロキ様《さま》は!
マヌカンヤミノ
あら そぉ?
そう!! 七五三《しちごさん》 みたい!
ずばり
ぐらっ
ボクは 五歳《ごさい》じゃ な〜〜いっっ
バサ
バサ
……ロキ さま……

ポー!!
レイヤちゃんどーしたの?
いーなぁ制服《せいふく》は万能《ばんのう》で
クエー～っ
……ロキさまかっこいいですぅ
あそぉ?
かあっ
よぉ
ただメシが食《く》えるってゆーから来《き》てやったぞぉ
すっごくすてきですぅ!
イヤ実はボクも和服ってけっこースキなんよ
あ——鳴神《なるがみ》くんも制服《せいふく》だ〜〜つまんなーい
仕方《しかた》ないだろコレがオレのいっちょー…
ら?
なんだロキの七五三《しちごさん》か今日《きょう》は。
ちっがあう!!
まともにゆーなキサマがっ

やっぱし着がえる!!
そんなぁ～ロキさま～
綾菜《あやな》さん！
ゴーッ
御結婚《ごけっこん》おめでとうございます!!
まさか綾菜《あやな》さんがうちの神社《じんじゃ》で神前結婚式《しんぜんけっこんしき》やってくれるとは～
まゆら…友達《ともだち》まで呼んで失礼《しつれい》じゃないかっ
ズラリ

いーんですのよ神主《かんぬし》サン
私《わたし》が呼《よ》んでくださいって
頼《たの》んだんですのよ
特《とく》にこちらの探偵《たんてい》サンには
大変《たいへん》お世話《せわ》になったんです
あらまあソレほどでも
そーそー
垣ノ内家《かきうちけ》って
結構薄情《けっこうはくじょう》な奴等《やつら》でさ
仕事忙《しごといそが》しくって来《こ》れ
ないし——おまけに
あんなんしか
いないんじゃ
みっともない
だろ？
お〜いおいおい
アヤナさん憧れてたのにィ
故《こ》垣《かき》ノ内《うち》教授助手《きょうじゅじょしゅ》
木暮《こぐれ》くん
ところで綾菜《あやな》さん
式《しき》では何《なに》も
起《お》こりません
でしたねー——
そーでしたねェ…
なになに
なんのコト？
カッ
カイブンチヨ!?
垣ノ内綾菜
オマエハ
最大ノ幸福ヲ
得ル前ニ
最大ノ不幸ヲ
得ル事ニ
ナルダロウ
なんで私《わたし》に
言《い》ってくれ
なかったのー!?

こんなものが先日《せんじつ》届《とど》いたので探偵《たんてい》サンに相談《そうだん》してたんです
誰《だれ》から〜?
物騒《ぶっそう》だなぁ まゆら 新山《にいやま》に連絡《れんらく》してみるか?
あ〜もしもし にーやまさ〜ん? あたしィ〜〜 スナックのママかってて. ちがうよう まゆらちゃんだよう
綾菜《あやな》さんの旦那《だんな》さん金安弘幸《かねやすひろゆき》さんの元彼女《もとかのじょ》の嫌《いや》がらせだったのかな
ソレはあり得《え》ませんわ
綾菜《あやな》さん!
マイクロバスの用意《ようい》が出来《でき》たんでお客《きゃく》さん方《がた》を僕《ぼく》の家《いえ》に…
弘幸《ひろゆき》サンは私一筋《わたしひとすじ》ですもの
あらそぉ?
えっ・はぁ まー そんなカンジっす ハハハハハハ
ホホホホホ
ステキですぅ♡
う〜む ただの嫌《いや》がらせだったのかなぁ 怪文書《かいぶんしょ》
ぶんぶん
うおーーっ 披露宴《ひろうえん》でメシだなっ 早《はや》くバスに!!
うっほ〜

イヤ ボクらは 徒歩《とほ》だよ ナルカミくん
ずしゃあ
なんでだよ ロキ!!
車《くるま》 乗《の》るくらい だったらお家《うち》 帰《かえ》るもーん
では私達《わたしたち》先《さき》に 行《い》っておりますので 後《あと》から いらしてくださいね
ロキくん 新山《にいやま》サン 一応《いちおう》来《き》て くれるって
ますみちゃん 暇《ひま》なの?
あらー 二人共《ふたりとも》お着物《きもの》で 揃《そろ》えたのね 写真《しゃしん》撮《と》って さしあげますわ
せぇので
カシャ!
!
お似合《にあ》いの カップル ねー
にこ にこ
なっ なんてコトを…っ
年の差カップル
私《わたし》と弘幸《ひろゆき》サンだって 同《おな》じような年《とし》の差《さ》よ もうちょっと大人《おとな》に なれば関係《かんけい》なく なっちゃうわ
姉《あね》さん女房《にょうぼう》です!

実は意外と年くってるアヤナさん。

ではお待《ま》ちしておりますぅ
私《わたし》とロキくんがぁ？やーねー綾菜《あやな》さんてば！
ハラハラ
そーゆー問題《もんだい》じゃナイッ
ズキ
ズキ
……こーやってロキを見《み》てると増々《ますます》もってオレが殺《ころ》す意味《いみ》があるのかどーか判《わか》らなくなる……
オレは正義《せいぎ》の味方《みかた》だし道理《どうり》に適《かな》ってないことはしたくないんだ
確《たし》かに神界《しんかい》ではトラブルメーカーだったけど殺《ころ》す程《ほど》の罪《つみ》なんか……

あー くるしかった!
で その怪文書《かいぶんしょ》は これから起《お》きる コトなのか?
まさか コノ学生と 知り合い とはな……っ
うーむ…
でね 思《おも》ったんだけど
普通結婚《ふつうけっこん》を妨害《ぼうがい》 したいなら式《しき》の時《とき》に 起《お》こるものなんじゃ ないかな――
そーよねェ やっぱりただの 嫌《いや》がらせ?
フン… そーかもなぁ
なんで こいつを…
洋服も すてきですぅ ロキさま!
それでもちっと 様子みてみるか、 せっかくきたんだし
まっ まゆらが また ヘン!!
カイブンチョ♡
ロキさまには お友達いっぱい!
あれ? 光《こう》ちゃんが 水先案内人《みずさきあんないにん》?
向《む》こうにいると 堅《かた》っ苦《くる》しくてな

堅《かた》っ苦《くる》しい？
ここ
金安家《かねやすけ》は
茶道《さどう》の
家元《いえもと》なの
茶道《さどう》!?
ヒィィイィイ
わっかんねェ!!
まぁ お前《まえ》らは
茶会《ちゃかい》じゃねーし
作法《さほう》知んなくても
いーんじゃねェ？
茶道《さどう》と
きたね
UMUUU

本日皆様《ほんじつみなさま》の
お世話《せわ》をさせて
頂《いただ》く
大崎《おおさき》
初音《はつね》です
倉田《くらた》美咲《みさき》
です
浅川《あさかわ》
雪乃《ゆきの》です
何《なに》か御用《ごよう》が
ありましたら
遠慮《えんりょ》なく声《こえ》かけて
くださいね
おい まゆら
お前《まえ》が先頭《せんとう》に
立《た》っちゃイカン
ぐい
え？
なんで？
ハ〜イ
茶道《さどう》の作法《さほう》としてね
正客《しょうきゃく》…つまり主賓《しゅひん》である
光《こう》ちゃんが先頭《せんとう》に立《た》つのが
自然《しぜん》でしょ
正客
連客
お詰
一列に並んで
移動スル
で 一番最後《いちばんさいご》は
お詰《つめ》と呼《よ》ばれる
末客《まっきゃく》
ほえ—
ロキくん茶道《さどう》
知《し》ってるんだ
！
うはははは
当然《とうぜん》
至極《しごく》！

ねーねー光《こう》ちゃん あの3人《にん》の女《おんな》の子《こ》って なんなの？
ん？ あん中《なか》に怪文書《かいぶんしょ》送《おく》った奴《やつ》がいるって ゆーのか？ 探偵《たんてい》
…確《たし》かに可能性《かのうせい》は あるかもな…
3人共《にんとも》この金安家《かねやすけ》のお弟子《でし》さんだよ
にやり
まず台所《だいどころ》で仕出《しだ》しを取《と》り分《わ》けてる大崎初音《おおさきはつね》
うちからお菓子《かし》届《とど》いたよー
ここに茶菓子《ちゃがし》を入《い》れてる和菓子屋《わがしや》の娘《むすめ》なんよ 早《はや》く結婚《けっこん》して店《みせ》を継《つ》ぎたくないらしーんだな

続《つづ》いて料理《りょうり》を運《はこ》んでるあの子《こ》浅川雪乃《あさかわゆきの》
あの子《こ》怪《あや》しーぜ なんせ弘幸《ひろゆき》サンに近付《ちかづ》きたくて金安家《かねやすけ》に入門《にゅうもん》したくらいだし
最後《さいご》にオレらのお詰役《つめやく》倉田美咲《くらたみさき》
彼女《かのじょ》は金安家《かねやすけ》の一番弟子《いちばんでし》で次期《じき》跡取《あとと》りを狙《ねら》ってても不思議《ふしぎ》じゃないな
フムフム あの3人《にん》が容疑者候補《ようぎしゃこうほ》ね！
どわっ
!
もしあの怪文書《かいぶんしょ》に嫌《いや》がらせ以上《いじょう》の意味《いみ》があるなら いつ何《なに》をしてくるかが問題《もんだい》…
まゆら
酔っぱらいパパ
ズルズル
うぃっす
不審《ふしん》なコト言《い》ってないでお酌《しゃく》しなサイ！
結婚《けっこん》をやめさせたい犯人《はんにん》にとって神前《しんぜん》よりも重大《じゅうだい》な意味《いみ》がある時《とき》か…

はて
なんざんしょ?
ロキくん
台所《だいどころ》から
お酒《さけ》持《も》って来《き》てェ
なんで
ボクがっっ
美咲《みさき》サンも
初音《はつね》サンも
雪乃《ゆきの》サンも
見当《みあ》たらないのー
酒持ってこぉい!!
あ——めでたいめでたいっ
ドンチャン
プハーッ
ウキ
カーッ
——まったく
まゆらといると
調《ちょう》子《し》狂《くる》うん
だよなぁ……
あの——
初音《はつね》サン
お酒《さけ》…
なんだよ
いるじゃんっ
あっゴメンなさい
お茶会《ちゃかい》の準備《じゅんび》が
忙《いそが》しくて…
お茶会《ちゃかい》
するの?
新郎新婦《しんろうしんぷ》の
お茶会《ちゃかい》なのよ
新郎新婦《しんろうしんぷ》
だけで?

金安家《かねやすけ》では当主《とうしゅ》…
つまり弘幸《ひろゆき》サンがたてた
濃茶《こいちゃ》を
お嫁《よめ》さんがいただく
コトによって正式《せいしき》に
一員《いちいん》として迎《むか》えるって
しきたりがあるの
ふぅ〜ん…
後《あと》でお酒《さけ》
持《も》っていく
わねー
パタ パタ
……
すっ
まゆら
お酒《さけ》
もうちょっと
待《ま》ってて
へろ〜
へろ〜
あひゃひゃ〜〜
ロキくんどきよ
行《い》ってらのぉ?
て!?
はははいーぞォ
大堂寺《だいどうじ》の娘《むすめ》
もっと足出《あしだ》せェ〜
寿
なにコレ
ますみちゃんっっ
祝《いわ》い杯一杯《さかずきいっぱい》でこんなに
酔《よ》ってくれるとは
親子《おやこ》でおもしれェ
イッ
エーイ
バカ親子
オッイエー

う〜〜んこの煮物《にもの》のおいし〜ですねェ〜〜メモっときましょう!!
うきうき
うき
えーと さやえんどうと さといもと…
キャ〜〜〜ン
花ヨメさまキレイーです
うう
ねーねーキミってかわいーじゃん オレとちょっとおつきあいしてみる気ないって、
こっ こまりますっ
はなして〜っ
ブデッ
うおーーっ メシーー メシだーー
怒髪天
えーーい みんなシャキッとせい!!
どーしたの!? なんかあったの? ロキくんっ
ホレ食え カルシウム
あーもう ボク怒《おこ》ってばっかち…
怪文書《かいぶんしょ》の犯人《はんにん》が本気《ほんき》なら行動《こうどう》はコレからだよ
ででんっ

えっコレから!?
アレ？オレの木刀はどこへ……
そーコレカラ
どーするの？なんか対策《たいさく》講《こう》じなきゃ綾菜《あやな》さんが…
そーね何《なに》かあるとまずいし で
身代《みが》わりを考《かんが》えてるんだ
花嫁《はなよめ》の

なんとっ
オレサマ!?
少々《しょうしょう》荒事《あらごと》が
あってもいい
よーにね
君《きみ》なら綾菜《あやな》さんと
背丈《せたけ》も同《おな》じくらい
だし角隠《つのかく》しすれば
大丈夫《だいじょうぶ》!
しかも
お色直しで
ゴージャスになってる
IN寄付け
茶事の
身仕度
部屋
レイヤ…
着たかった
ですっ…
鳴神くんてば
うらやまし～
身代《みが》わりだなんて…
重要《じゅうよう》な儀式《ぎしき》
ですのに…
万《まん》が一《いち》って
コトで!
そーだボクも
お茶会《ちゃかい》に参加《さんか》
させてもらおう
おいっロキ
オレの木刀《ぼくとう》
返《かえ》せ!
何言《なにい》ってんの
花嫁《はなよめ》が凶器《きょうき》
持《も》ってたら
変《へん》でしょ
ボクが持ってて
あげるからっ
木刀《ぼくとう》はオレの
一部《いちぶ》なのだ
……エイ
ぎり
つねっ

つーか誰が持っててもヘン

雪乃《ゆきの》ちゃん お茶会《ちゃかい》のお菓子《かし》持《も》って行《い》った？
あーハイ これからです 美咲《みさき》サン！
ソレ もう一《ひと》つ 追加《ついか》〜〜〜 ボクもお茶会《ちゃかい》参加《さんか》するよ！
あら そーなの？
じゃあ もう一《ひと》つ…
すいませんっ ソレ持《も》っててください！
パタパタパタ
あわただしい子《こ》ねェ…
中身《なかみ》崩《くず》れてないかしら
うん 大丈夫《だいじょうぶ》みたいね
トン
トン
茶道《さどう》は 見栄《みば》えも 大切《たいせつ》だものね

持《も》ってきましたー
パタパタ
じゃあ上《うえ》に載《の》せて
走《はし》っちゃダメよー
ハ〜イ
おい探偵《たんてい》茶会《ちゃかい》始《はじ》まるぞ
ナルカミくんは準備《じゅんび》オッケー？
……
かぷりっ
ナルカミくんキレ〜イ♡
貴様《きさま》殺《コロ》ス…
いざお茶会《ちゃかい》!!
ザザーン!

おねーさん カレシとか いるの?
なぁロキ あのねーちゃんは…?
コソ
コソ
お詰《つめ》って いってね
茶会《ちゃかい》の亭主《ていしゅ》と 連絡《れんらく》を取《と》り合《あ》ったり ボクらの後始末《あとしまつ》 する人《ひと》
本当《ほんとう》は客《きゃく》の 中《なか》から選《えら》ぶん だけど
光ちゃんもボクも どっちも役不足 だしね
綾菜《あやな》サン 気《き》を楽《らく》にね!
ホレ 黙礼《もくれい》!
にこっ
?
コレは蹲踞《つくばい》って ゆーんですよねー 綾菜《あやな》さん

この水《みず》で茶席《ちゃせき》に入《はい》る前《まえ》に手《て》と口《くち》を清《きよ》めるんだっけー
……
そう まず左《ひだり》手《て》から
半分水《はんぶんみず》を残《のこ》したまま左手《ひだりて》に持《も》ち替《か》えて残《のこ》りで右手《みぎて》を清《きよ》める
右手《みぎて》でさらに水《みず》を汲《く》んで左手《ひだりて》に水《みず》を零《こぼ》し口《くち》に含《ふく》ませて…
おずっ
見苦《みぐる》しくないよーに水《みず》を吐《は》き出《だ》すんですよねーー綾菜《あやな》さんっ
!
花嫁《はなよめ》さん随分《ずいぶん》緊張《きんちょう》なさってるぅ〜
ヒーッ
ヒャッヒャッ
ホントに…
ロキ…茶室《ちゃしつ》の入《い》り口《ぐち》は何処《どこ》ぞなもし
あの小《ちい》さい扉《とびら》が躙口《にじりぐち》ってゆー入《い》り口《ぐち》ですよう綾菜《あやな》さん

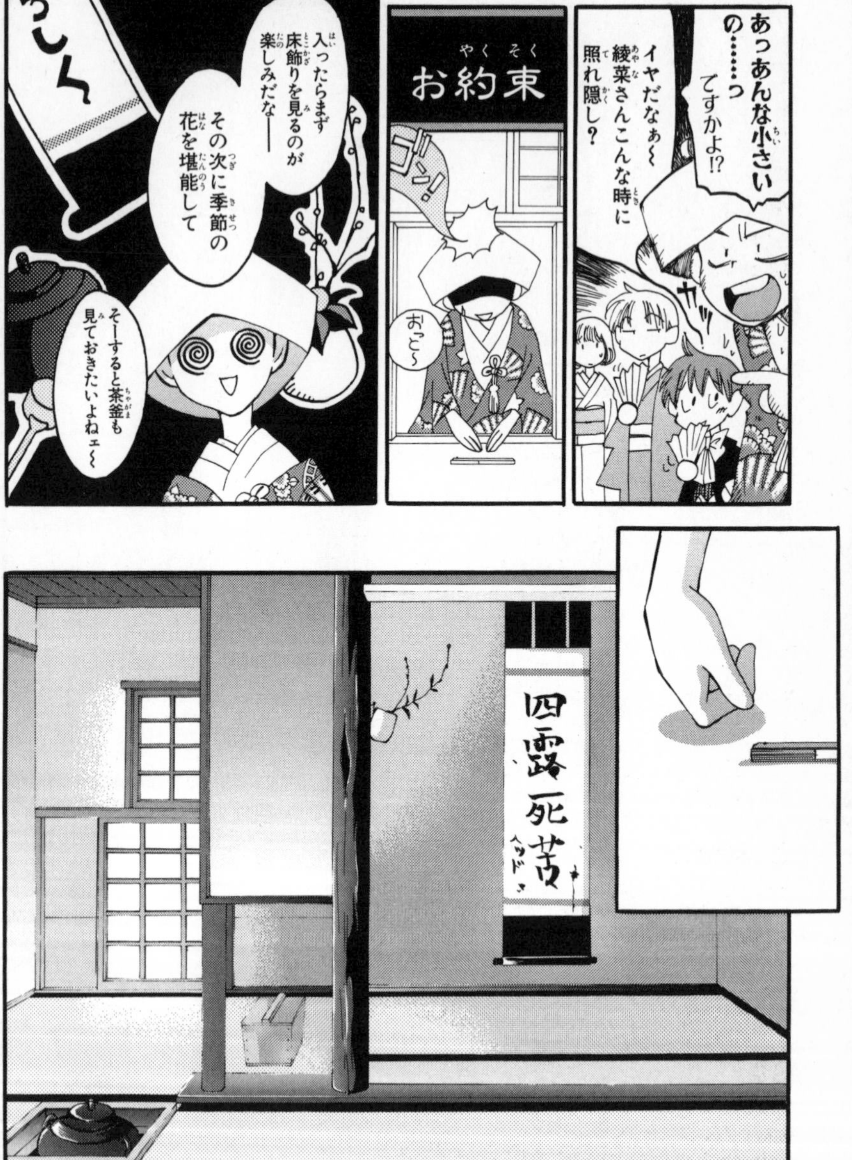
あっあんな小《ちい》さいの……っ
ですかよ!?
イヤだなぁ〜綾菜《あやな》さんこんな時《とき》に照《て》れ隠《かく》し？
お約束《やくそく》
ゴン!
おっと〜
よろしく
入《はい》ったらまず床飾《とこかざ》りを見《み》るのが楽《たの》しみだな——
その次《つぎ》に季節《きせつ》の花《はな》を堪能《たんのう》して
そーすると茶釜《ちゃがま》も見《み》ておきたいよねェ〜
四露死苦
ヘッド

スッ
ありゃメシかよ ロキ？
濃茶《こいちゃ》の前《まえ》の
お茶《ちゃ》菓子《がし》
だよ
トン
やっほう
いっただつきィ
あ……
ソレは
順番《じゅんばん》が…
いーじゃないか
綾菜《あやな》サン緊張《きんちょう》してるんだし
そんなに格式《かくしき》に
拘《こだわ》るコトないさ！
NEO
茶道!!

ではボクも花嫁《はなよめ》サンに倣《なら》って上《うえ》から…
……
ほんならオレも——
ハイおねーさん
ムシャムシャ
どーしたんだい美咲《みさき》？ みんなが食《た》べ終《お》わらないと濃茶《こいちゃ》がたてられないよ

……ちょっと具合《ぐあい》が
あっ? おい美咲《みさき》っ
にっ
茶事《ちゃじ》で席《せき》を立《た》つなんてよっぽどのコトですね〜ちょっと見《み》てきます!
あの子《こ》かロキ!?
ばっ
えい〜はなせっ!
待《ま》って! どーゆーコト!? 説明《せつめい》してっっ

――あなたの前《まえ》に置《お》かれた重箱《じゅうばこ》には あなたが何《なに》か仕込《しこ》んだ和菓子《わがし》が入《はい》っていた…
だから食《た》べられなかったんですね？
わ…私《わたし》が何《なに》を……
あなたは花嫁《はなよめ》にソレがいくように仕組《しく》んだんだ
でも…菓子《かし》を取《と》り分《わ》けたのは初音《はつね》だし
お重《じゅう》を運《はこ》んだのは雪乃《ゆきの》…私《わたし》には
きっと初音《はつね》サンが茶事《ちゃじ》の準備《じゅんび》をしている間《あいだ》に台所《だいどころ》でなんらかの細工《さいく》をした

黒《くろ》い重箱《じゅうばこ》の菓子《かし》に
細工《さいく》をしたあなたは
雪乃《ゆきの》サンが運《はこ》んでいたのを
ひきとめて
ソノ重《じゅう》を一番下《いちばんした》にした
しかし花嫁《はなよめ》は
作法《さほう》を無視《むし》して
しまったから
あなたに問題《もんだい》の
重箱《じゅうばこ》がきてしまった
パタ パタ
茶道《さどう》の作法《さほう》では
正客《しょうきゃく》が一番下《いちばんした》から
取《と》り 連客《れんきゃく》もそれに
倣《なら》って下《した》から取《と》って
いくものだからね
一番弟子《いちばんでし》である
あなたはどーしても
綾菜《あやな》さんに金安家《かねやすけ》に入《はい》って
もらいたくなかった…
だから茶会《ちゃかい》の中《なか》でも
最《もっと》も重要《じゅうよう》な濃茶《こいちゃ》の前《まえ》に
綾菜《あやな》さんをどーにか
したかったんだ

私《わたし》は…ずっと金安家《かねやすけ》を継《つ》ぐって思《おも》ってたのに…あの女《おんな》が——……
いけないですね美咲《みさき》サン茶道《さどう》をやる人《ひと》がそんな煩悩《ぼんのう》に惑《まど》わされちゃ
もともと最初《さいしょ》にお茶《ちゃ》を伝《つた》えたのは栄西《えいさい》という禅僧《ぜんそう》
禅《ぜん》と茶《ちゃ》は強《つよ》い結《むす》びつきがあるのです

バ
ここはひとつ
ソノ煩悩《ぼんのう》を
断《た》ち切《き》って
あげましょう
ン!!
おいっロキ
その人《ひと》が…っ
あ…
わ…私《わたし》…

んーん美咲《みさき》サン
治《なお》ったみたい…
どーせナルカミくん
だったんだし
最初《さいしょ》っから
やりなおそーよ!
あ〜!?

仕事戻ろ！
パパ起きてェーッ
くかーっ
レイヤウェディングドレスもいーと思うですぅ
グフフ…
こんなにレシピが♡
オレの探偵助手っぷりはいかがだったかな？おじょーさんっ
フッ
ーーで
お茶会《ちゃかい》では何《なに》も起《お》こらなかったワケ？
うんやっぱりあの怪文書《かいぶんしょ》はただのいたずらでお茶会《ちゃかい》も無事《ぶじ》に済《す》んだしもー平気《へいき》でしょ
そーゆーもんかな？

そーゆーもんでしょ！
……結構《けっこう》なお手前《てまえ》で……
おいロキ オレにもソレ 飲《の》ませろよ
やーさっきので 喉渇《のどかわ》いちゃって さー…
ゴク
にがい！

なんだってーっつ
あの菓子《かし》ん中《なか》に
何《なに》か仕込《しこ》まれて
たっつーのかよ!?
おっお前《まえ》
そんなコト一言《ひとこと》も…
もしオレが
食《く》ってたら
どーすんだ
!!
やっぱコイツ
危険《きけん》な
奴《やつ》かも!?
食《く》って
ないじゃん
結果論《けっかろん》を
ゆーなぁ
ーーっつ
なーんてね
あの黒《くろ》いお重《じゅう》が
怪《あや》しーってのは
判《わか》ってたんだ
ナルカミくんが
作法《さほう》を間違《まちが》えるの
承知《しょうち》で黙《だま》って
たんだよ
もう!
メロメロに
ソテー
……

あのさー
ナルカミくん
ボクがそんな
ヘマすると
思《おも》うわけ？
心外だなぁ
まあこいつ
頭だけは
まわるからなぁ
う～ん増々《ますます》もって
ロキを殺《ころ》す
意味《いみ》が見《み》えん…
あっ でも事前《じぜん》に
予測《よそく》してたってコトは
オレが花嫁《はなよめ》に
ならずとも……っ
くっくやしいっっ
判《わか》っててやり
やがったなお前《まえ》っ
あはは
似合《にあ》ってたぞー
ナルカミくん
やっほう
ロキくん～ん
こないだの
結婚式《けっこんしき》の写真《しゃしん》
できたって――
……お前《まえ》だって
七五三《しちごさん》
似合《にあ》ってたぞ
くっくっ
うわぁぁん
見《み》せるなーッ
引《ひ》き伸《の》ばして
みたのォ♡

第《だい》14夜《や》
ブリーシングの悪夢《あくむ》

何《なに》をやっているのだ
トール神《しん》は
僕《ぼく》には予測《よそく》
ついていました
けどね
目的《もくてき》を忘《わす》れることは
彼自身《かれじしん》の願望《がんぼう》だった
のではないですか？
フフフ……
笑止《しょうし》！
なんとしてでも
地上《ちじょう》で始末《しまつ》するのだ
神々《かみがみ》の黄昏《たそがれ》を
導《みちび》く者《もの》を!!

ええ
そのためにフレイヤ神《しん》にも転生《てんせい》して頂《いただ》いていることですしねフフフ……
ぱち
——……ロキさま

レイヤが夢《ゆめ》を見《み》たのはこの美術館《びじゅつかん》？
ハイです…
予知夢《よちむ》？
何《なに》かが起《お》こるような気《き》がするです
何《なに》かに呼《よ》ばれているよーな…
………

シィーン
はやってない美術館《びじゅつかん》みたいだねェ…
どーやって運営《うんえい》してるんでしょーね
和洋折衷《わようせっちゅう》でコンセプトがないんだもんそりゃあ客《きゃく》だって来《こ》なくなるよ
いっしょくたでガラクタみた〜い
ほへー
わぁ奇麗《きれい》な女神様《めがみさま》の絵《え》!!
なんの女神様《めがみさま》かなぁ

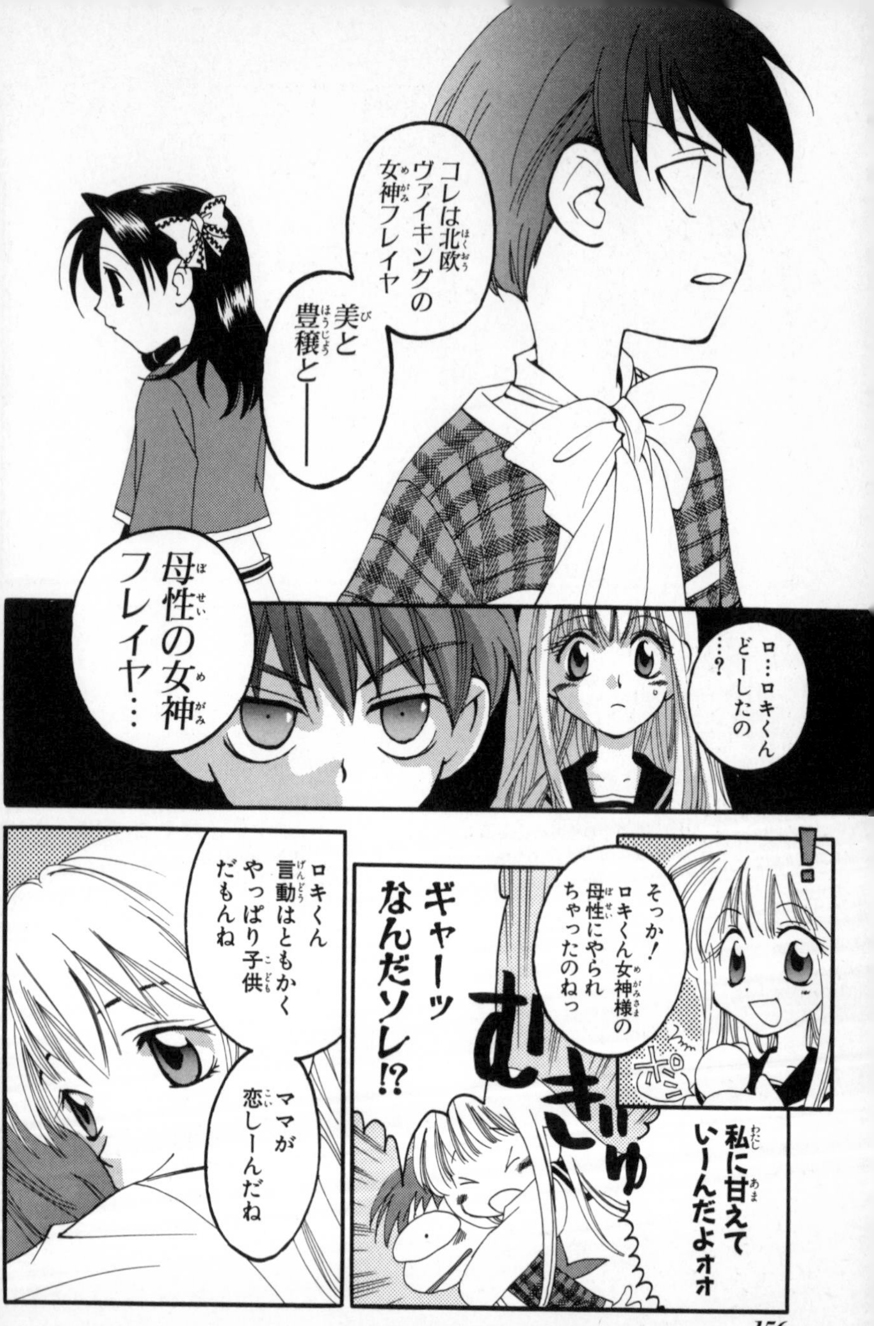
コレは北欧《ほくおう》
ヴァイキングの
女神《めがみ》フレイヤ
美《び》と
豊穣《ほうじょう》と——
母性《ぼせい》の女神《めがみ》
フレイヤ…
ロ…ロキくん
どーしたの
…？
！
そっか！
ロキくん女神様《めがみさま》の
母性《ぼせい》にやられ
ちゃったのねっ
ポン
ギャーッ
なんだソレ!?
むぎゅ
私《わたし》に甘《あま》えて
いーんだよォオ
ロキくん
言動《げんどう》はともかく
やっぱり子供《こども》
だもんね
ママが
恋《こい》しーんだね

ドキドキ
そーゆーもんかね・・・
子供《こども》じゃないんだけどね——
では遠慮無く♡
キャーーッ
どこさわってんのよオオオ
うぎゃあああ
・・・・・・・・・・
あ
特別展示室
どーしたの？レイヤちゃんっ

こっ この首《くび》飾《かざ》りは…っっ
イ…イヤ……
レイヤちゃん 真《ま》っ青《さお》だよっ どーしたの!?
ロキ様《さま》 この首《くび》飾《かざ》りは?
ブリーシングの首《くび》飾《かざ》りだよ ヤミノくん
ああ!! フレイヤ神《しん》がいつも肌《はだ》身《み》離《はな》さず着《つ》けていたといわれるあのブリーシンガメンですかっ!!
解説ありがとっヤミノくん
ヤミノ先生《せんせい》
そう……フレイヤ神《しん》の象徴《しょうちょう》というべき装飾品《そうしょくひん》——
レイヤはコレに引《ひ》き寄《よ》せられたとでも……

コラコラー
展示品《てんじひん》に触《ふ》れちゃダメだよベイビー！
な……何者《なにもの》？
薔薇!!
何《なに》を隠《かく》そーこの美術館《びじゅつかん》の館長《かんちょう》
千束《せんぞく》すずめとは僕《ぼく》のコトさっ
どォ？僕《ぼく》の美学《びがく》溢《あふ》るるコレクションの数々《かずかず》はっ このエナジー ベイビーについてこれるかな？
はっはーっ
はっはーっ
ついていけませーん おそらく誰《だれ》も！
HA HA HA HA HAH

盗《ぬす》みは悪《あく》だぜベイベ
ナマイキ!!
びち
はう!
ところで館長《かんちょう》この首飾《くびかざ》りどこで手《て》に入《い》れたの?
コレ? う〜〜〜ん どこだっけなぁ………
蛇《じゃ》の道《みち》はヘビってね
大黒屋 お主も悪よのう
イエイエ お代官サマにはかないませぬ
蛇の道
説明《せつめい》になっとらん
しっしっし
ホラ僕《ぼく》ってば世界的《せかいてき》なビバコレクターだからねっ集《あつ》まってきちゃうワケよ
闇《やみ》から闇《やみ》へ僕《ぼく》にマスターになって貰《もら》いたがる芸術達《げいじゅつたち》が!!
よーするに密売《みつばい》ルートとかブラックオークションとかで買《か》い漁《あさ》ってくるのね…
そんなにコレが気《き》になるかい?でも欲《ほ》しがっても無駄《むだ》だよ
僕《ぼく》の華麗《かれい》なる防犯《ぼうはん》システムによって磐石《ばんじゃく》に警備《けいび》されてるからね

まずは
選《え》りすぐりの
エリート精鋭《せいえい》
警備部隊《けいびぶたい》!!
フッ
ばん
選《え》りすぐりと
ゆーか類《るい》は
友《とも》を呼《よ》ぶと
ゆーか…
やはり
バラが…
そして夜《よる》には
華麗《かれい》なる
赤外線《せきがいせん》
セキュリティー!!
この特別展示室《とくべつてんじしつ》は
赤外線《せきがいせん》レーザーを
網羅《もうら》してあるからね
不審《ふしん》な侵入者《しんにゅうしゃ》は
すぐに撃退《げきたい》できる
よーになっているのさ
館長《かんちょう》
古物商《こぶつしょう》の
寿《ことぶき》サンがお見《み》えに
なりました

ああ すまないな
秘書《ひしょ》の根岸《ねぎし》くん
まあ!!
素敵《すてき》な首飾《くびかざ》りですコト! さすがは館長《かんちょう》お目《め》が高《たか》い
はっは もっとホメてェ〜
ロキくん
レイヤちゃん 相当《そうとう》具合《ぐあい》悪《わる》い みたいだよ どーしよ?
だ…いじょぶです ロキさま…気《き》にしないで くださいです
じゃあ まゆら ヤミノくんと この部屋《へや》について 観察《かんさつ》しといてくれる?
イエッサー!
レイヤ ちょっとおもてに 出《で》よーか

なんで今《いま》さらブリーシングの首飾《くびかざ》りが…
……ロキさま
え？
レイヤはコワイです
……アノ首飾《くびかざ》り見《み》てると
別《べつ》のレイヤがいるみたいな気《き》がするです……

レイヤはレイヤだろ？気《き》のせいだよ
にっ
ハイッ
――ロキさま 今日《きょう》は付《つ》き合《あ》ってくれて
ありがとです……
とっても嬉《うれ》しかったです

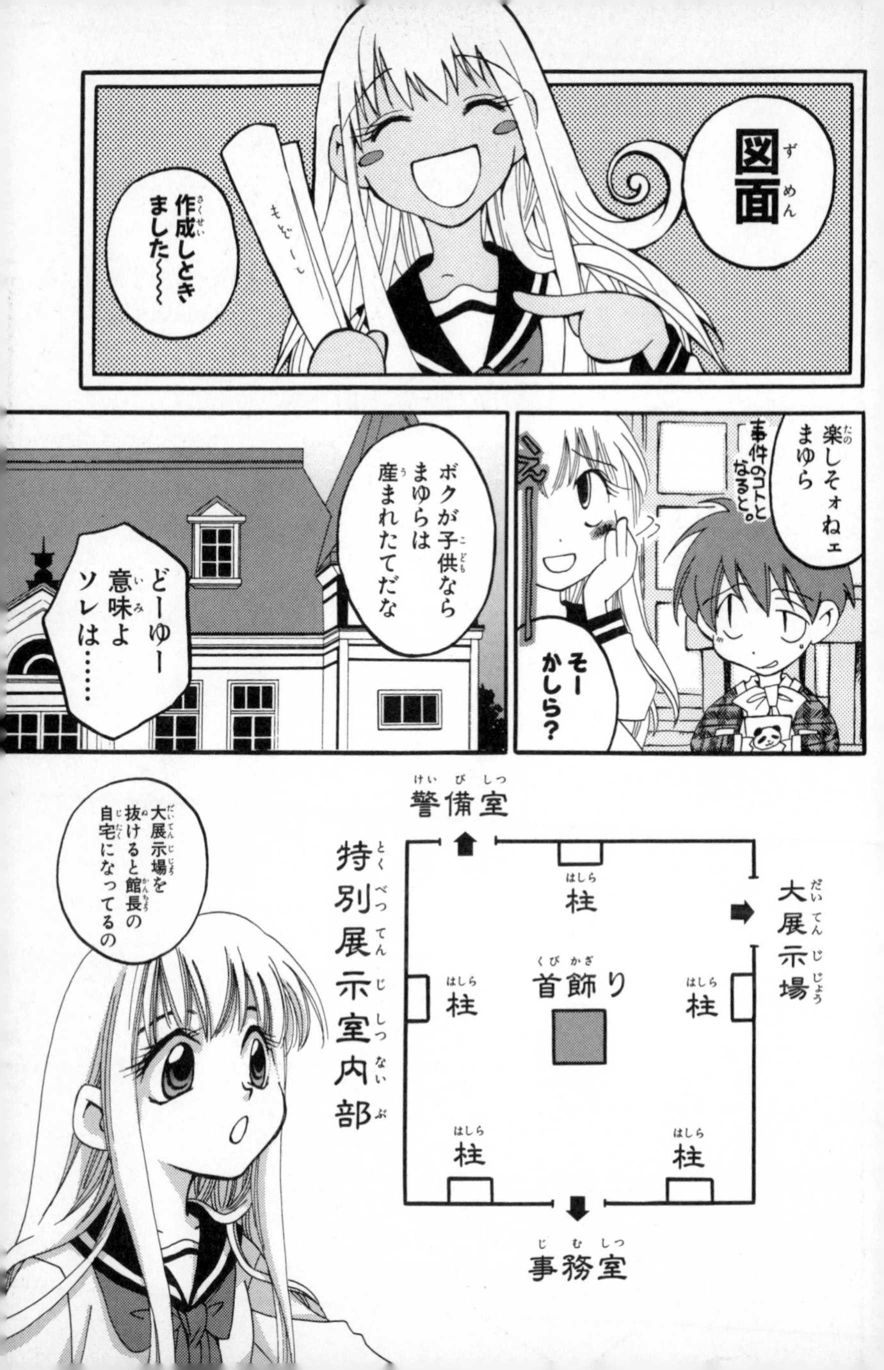
図面《ずめん》
作成《さくせい》しときました~~~
楽《たの》しそォねェまゆら
「事件のコトとなると。
え
そーかしら?
ボクが子供《こども》ならまゆらは産《う》まれたてだな
どーゆー意味《いみ》よソレは……
大展示場《だいてんじじょう》を抜《ぬ》けると館長《かんちょう》の自宅《じたく》になってるの
警備室《けいびしつ》
特別展示室内部《とくべつてんじしつないぶ》
柱《はしら》
大展示場《だいてんじじょう》
首飾《くびかざ》り
柱《はしら》
柱《はしら》
柱《はしら》
柱《はしら》
事務室《じむしつ》

フムフム
フム
ねーねー
なにが起こるのかなあ早くぅ
さーて 最後《さいご》の見回《みまわ》りだ 後《あと》は防犯《ぼうはん》システムにお任《まか》せなんて楽《らく》な仕事《しごと》だね♡
おや？
お疲《つか》れさ…
シュル
ぐっ

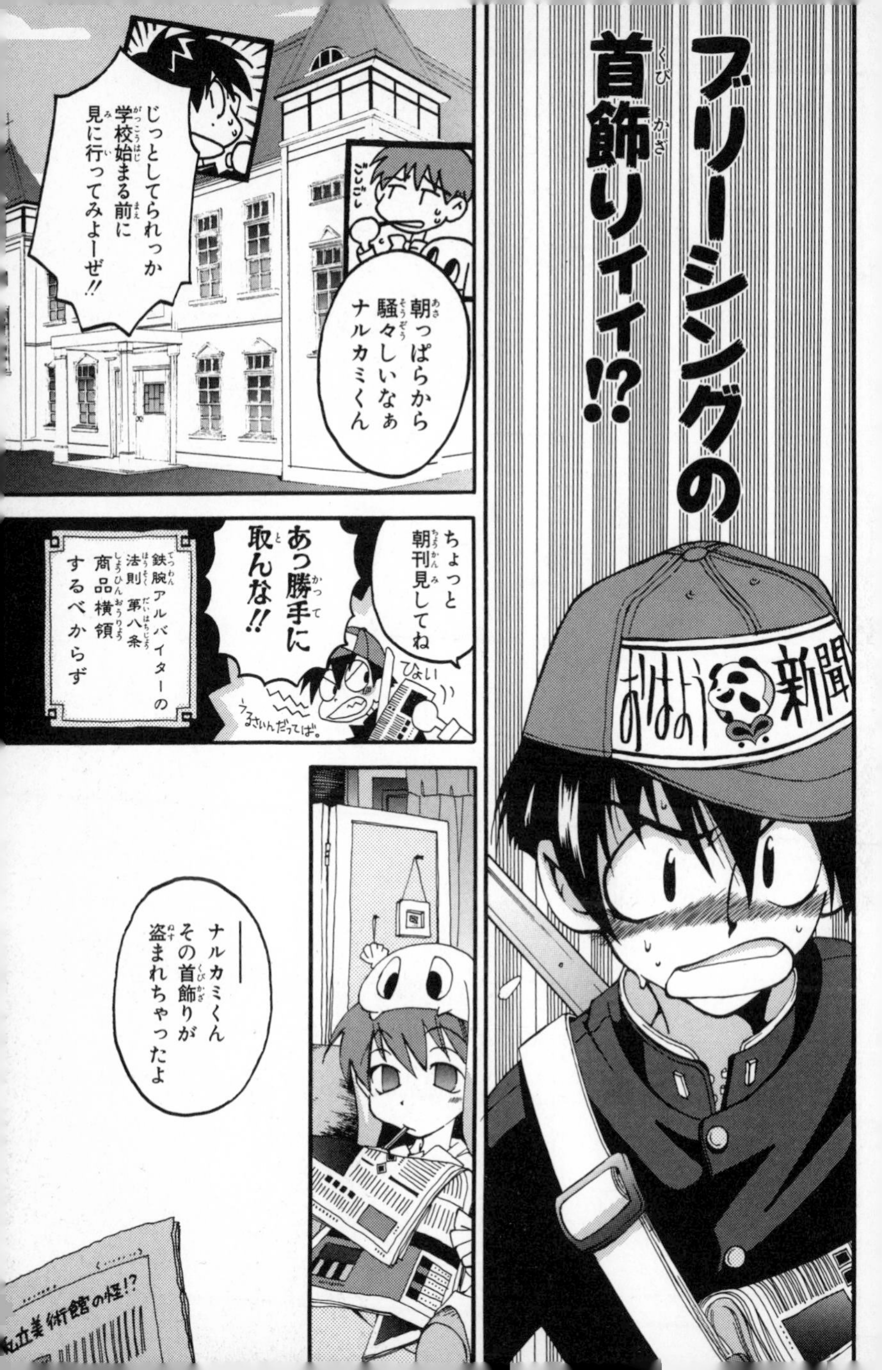

ブリーシングの首飾《くびかざ》りィイ!?
おはよう新聞
朝《あさ》っぱらから騒々《そうぞう》しいなぁナルカミくん
ごしごし
じっとしてられっか学校始《がっこうはじ》まる前《まえ》に見《み》に行《い》ってみよーぜ!!
ちょっと朝刊《ちょうかん》見《み》してね
ひょい
あっ勝手《かって》に取《と》んな!!
うるさいんだってば。
鉄腕《てつわん》アルバイターの法則《ほうそく》第八条《だいはちじょう》商品横領《しょうひんおうりょう》するべからず
―ナルカミくんその首飾《くびかざ》りが盗《ぬす》まれちゃったよ
立美術館の怪!?

警備室
美術館《びじゅつかん》に死体《したい》を展示《てんじ》するなんて悪趣味《あくしゅみ》だな……
コレは何《なに》か意味《いみ》があるのか？
被害者《ひがいしゃ》は廊下《ろうか》で絞殺《こうさつ》されて後《のち》ここに運《はこ》ばれたんだね？
そう……御苦労《ごくろう》なこった暗号《あんごう》か…
ってなんだお前《まえ》ら!!
どどんっ
探偵《たんてい》デス!!
朝のニュースを見て来た
ヤス～～～お前《まえ》が入《い》れたのかぁ～～～？
ええ ちょっとこの子《こ》の意見《いけん》を聴《き》ーてみよーと思《おも》いまして
てへ♥
賢明《けんめい》だねヤスくん！
死亡推定時刻《しぼうすいていじこく》はちょうどシステムが作動《さどう》する時間帯《じかんたい》と重《かさ》なっているらしいね

死体《したい》が置《お》かれて首飾《くびかざ》りも盗《ぬす》まれたのに防犯《ぼうはん》レーザーは何《なに》も異常《いじょう》を知《し》らせなかった
それは一体《いったい》何故《なぜ》だろうか？
容疑者《ようぎしゃ》候補《こうほ》&《アンド》システム作動中《さどうちゅう》のアリバイ
私立美術館館長 千束《せんぞく》すずめ
僕《ぼく》は自室《じしつ》にずっといたけどー？
なんでボクがうたがわれるのさ？
エリート警備員 蔵前《くらまえ》秀光《ひでみつ》
警備室《けいびしつ》の宿直室《しゅくちょくしつ》で朝《あさ》まで寝《ね》てました
古物商 寿《ことぶき》美恵子《みえこ》
話《はなし》が長《なが》くなったので館長《かんちょう》の自室《じしつ》のゲストルームに泊《と》めて頂《いただ》きました
館長秘書 根岸《ねぎし》春臣《はるおみ》
事務室《じむしつ》で書類整理《しょるいせいり》してそこで仮眠《かみん》とってました

なんで犯人《はんにん》は別《べつ》の場所《ばしょ》で殺《ころ》した死体《したい》をここまで運《はこ》んだのかなぁ……
………
これ被害者《ひがいしゃ》の写真《しゃしん》でしょ？
胸元《むなもと》のポケットから覗《のぞ》いている手鏡《てかがみ》がヒントじゃないかな？
館長《かんちょう》この部屋《へや》赤外線《せきがいせん》は何本《なんぼん》発射《はっしゃ》されてるの？
人間《にんげん》の身長《しんちょう》に合《あ》わせて飛《と》び越《こ》えられもせずくぐれもしないよーに3本《ぼん》だよ
じゃあその3本《ぼん》が平行《へいこう》してこんな形《かたち》で反射《はんしゃ》しあってこの部屋《へや》を循環《じゅんかん》しているんだね？

え？
赤外線《せきがいせん》を反射《はんしゃ》させてる？張《は》り巡《めぐ》らされてるんじゃ……
うん1本《ぽん》の柱《はしら》の起点《きてん》から発《はっ》した赤外線《せきがいせん》が遮《さえぎ》られずに再《ふたた》びここに戻《もど》ってくれば
異常《いじょう》はなしってコトになるって仕組《しく》み
??
S
その赤外線《せきがいせん》はこんなふーに循環《じゅんかん》されてるでしょ？館長《かんちょう》
その通《とお》り！赤外線《せきがいせん》は一筆書《ひとふでが》きで張《は》り巡《めぐ》らされている！
華麗《かれい》なる経費削減《けいひさくげん》!!

死体《したい》の手鏡《てかがみ》は一番下《いちばんした》の赤外線《せきがいせん》の高《たか》さと同《おな》じくらいじゃないかな……
警備室《けいびしつ》
大展示場《だいてんじじょう》
FREE ZONE
事務室《じむしつ》
だとしたら赤外線《せきがいせん》のルートがこんな風《ふう》に変《か》えられたんじゃないだろうか
犯人《はんにん》がここに死体《したい》をわざわざ運《はこ》んだのは赤外線《せきがいせん》を鏡《かがみ》で反射《はんしゃ》させるため……
一番最後《いちばんさいご》の見回《みまわ》りが終《お》わってシステムが作動《さどう》すればいつでも首飾《くびかざ》りを取《と》ることができる……
このフリーゾーンに出入《でい》りできたのは事務室《じむしつ》にいた人《ひと》——

つまり
秘書《ひしょ》の根岸《ねぎし》さんが
犯人《はんにん》だね
──私《わたし》を
呼《よ》ぶのは
誰《だれ》…？
やぁ
待《ま》ってたよ
御機嫌《ごきげん》
麗《うるわ》しそーで
なにより…
フレイヤ様《さま》

どーしてだよ根岸《ねぎし》くんっっ信頼《しんらい》してたのに!!
ははは……信頼《しんらい》だって?
何《なに》言《い》ってんだよアンタ……
何故《なぜ》このブリーシングを嫌《いや》がるんだい?あんなに大切《たいせつ》にしてたのに
な…なんのコトで…すか

仕方《しかた》ないな 僕《ぼく》が失礼《しつれい》ながら お着《つ》けして 差《さ》し上《あ》げよう
イッイヤッ 助《たす》けて ロキさま!!
ほう… おもしろい本音《ほんね》が 聞《き》けたぞ…… そうか
あの気位《きぐらい》の高《たか》い フレイヤが邪神《じゃしん》ロキを 愛《あい》していたとは
意外《いがい》な 見解《けんかい》だ
神《かみ》である時《とき》は その思《おも》いを抑制《よくせい》していた分《ぶん》 地上《ちじょう》では別人格《べつじんかく》で現《あらわ》れたと いうことか……
ドクッ

ドクン
そーだよ こいつがやったんだよっ
あははは
なんだ? こいつ…
詳《くわ》しい話《はなし》は署《しょ》で聞《き》こうか
おいロキ 今回《こんかい》は魔《ま》落《お》とししないのか?
違《ちが》うな あの人《ひと》は操《あやつ》られてるだけだ 落《お》としても意味《いみ》がない

あの
ブリーシングに
関係《かんけい》があるのかな
……
フレイヤに
関係《かんけい》が……
——レイヤは
何処《どこ》だ?
レイヤッ
ガシャン
なんだ
なんだ!?
ロキどーした?
様子《ようす》が
おかしいぞ
ナルカミくんっ

なっっっ
レイヤが……
覚醒《かくせい》!?
フレイヤ!!
私《わたし》の名《な》を気安《きやす》く呼《よ》ぶでないぞ
す
ロキ

ズズーン
げっ
ロキ……私《わたし》はお前《まえ》が憎《にく》くて憎《にく》くて堪《たま》らないのよ
目《め》障《ざわ》りなのよ消《き》えなさい

フレイヤまで ロキを狙《ねら》って いるなんて…!! どーゆーコト だよっ
――アノ首飾《くびかざ》り 見《み》てると 別《べつ》のレイヤが いるみたいな気《き》が するです……
どかん
ナルカミくんっ フレイヤの首飾《くびかざ》りを はずしてくれたまえ！
どかん
どっかーん
あ――もォ わけわからん
DOOOOOOMMM!!
えーい 自分《じぶん》で取《と》りに 行《い》きやがれっ
オレに 命令すんな!
どがっ
ザッ

ばっ
助《たす》けて……
ロキさま―
コテ

ヒェー
!?
グイ
!

何《なに》を考《かんが》えている?
別《べつ》に
べっ……
いたいたぁ
ロキくん——
レイヤちゃん!?
ばん!
何《なに》が
あったのォ!?
……どーしたの?
二人《ふたり》共《とも》…

少《すこ》し眠《ねむ》ったほーがいいよレイヤ
眠《ねむ》るのコワイです……悪《わる》いユメ見《み》そうです…
……ロキさまレイヤは何《なに》してたですか
レイヤはレイヤだよ
気《き》にするコトじゃない

やっほう
館長《かんちょう》でースッ
イヤ〜首飾《くびかざ》りは見《み》つからなかったケドねっ
君《きみ》の事件解決《じけんかいけつ》を賞《しょう》して重大《じゅうだい》な発表《はっぴょう》がアル!!
はあ何だろ??
君《きみ》を今日《きょう》から僕《ぼく》の選《え》りすぐりエリート秘書《ひしょ》に認定《にんてい》してあげよう!
正装《せいそう》に着替《きが》えてさっそく入社式《にゅうしゃしき》だッ
いーやーだあー
くすくす

フレイヤ……
お前《まえ》はこのブリーシングが
ある限《かぎ》りいつでも
ロキを
愛《あい》しているが故《ゆえ》の
憎悪《ぞうお》の塊《かたまり》となり得《え》るのだ
ただでは殺《ころ》さんぞ
ロキ――
このヘイムダルがな

魔探偵ロキ3　おわり

TO BE CONTINUED……
SEE YOU NEXT ISSUE!!

ハードボイルド一直線《いっちょくせん》!!
ハードボイルドを貫《つらぬ》くオヤジ
新山《にいやま》真澄《ますみ》警部《けいぶ》
警部《けいぶ》の好《この》みのタイプってどんなんでしょーねェ?
うるせェ黙《だま》って飲《の》め
おいオヤジエチルもいっぱい
ボッ
意外《いがい》と若《わか》い子《こ》ズキ?まゆらちゃんとか
――なーんちゃって!!
ふっざけんなてめェぶっ殺《ころ》ス!!
お客サン屋台こわれちゃうよ～
もしかして図星《ずぼし》～～～!?
やきとり
乱暴《らんぼう》な言葉《ことば》で己《おのれ》を
表現《ひょうげん》する……まさに新山《にいやま》は
ハードボイルドな男《おとこ》であった!!

こんにちわー木下さくらです
お元気でしたかの?
魔タンテイロキ3お買い上げありがとう!!
まだ続くんですねすごいねうれしーなぁ～

事件モノって私にはえらいしんどいんですが
スキなもの興味あるコトを片っぱしから
題材にしてみるのが楽しーです
問題は時間が無くって焦りながら
絵を書かなきゃいけなくなったり
資料がどんどん増えて私のせまい
お部屋がよりいっそうせまくなるコトだな～
ただでさえ小物類がタクいのに….

ロキさま
エヘ♥

さて3人めの神サマレイヤちゃん!!
私にとっては初めてのタイプのキャラ
だったので登場した頃は
どーなるコトやら…と思ってましたが
今ではスッカリお気に入りじーお♥

THE MYTHICAL DETECTIVE LOKI

ILLUSTRATION GALLERY

THOR

THE MYTHICAL DETECTIVE LOKI ③ Sakura Kinoshita

BLADE COMICS

魔探偵ロキ ③

2003年6月10日初版発行

■著 者
木下さくら

■発行人
保坂嘉弘

■発行所
株式会社マッグガーデン

〒101-8434 東京都千代田区一ツ橋2-6-8 トミービル3《スリー》 2F
(編集) TEL：03-3515-3872 FAX：03-3262-5557
(営業) TEL：03-3515-3871 FAX：03-3262-3436
企画プロデュース スクウェア・エニックス

■印刷所
株式会社美松堂

■装 幀
アイロン・ママ

初出／月刊少年ガンガン99年11月号～12月号、00年1月号～3月号(エニックス刊)

ISBN4-901926-55-1 C9979

Printed in japan